친디아와 아시아지역학

친디아와 아시아지역학

대한아시아지역학연구회 지음

인도와 중국을 새롭게 살펴본다

지난 세기의 아시아는 서구 열강의 식민 지배와 경제적 수탈로 인해 많은 어려움을 겪었다. 그러나 21세기 들어 아시아는 독립 이후 빠른 성장을 통해 서구 열강과 경제 및 문화적으로 어깨를 나란히 하고 있다.

이러한 흐름 속에서 한국은 20세기 고도성장을 통해 선진국에 진입했으며 세계 10위의 경제와 우수한 문화를 자랑하는 강국이 되었다.

21세기 아시아의 부상은 아시아지역학의 발전으로 이어졌다. 아시아지역학은 아시아의 특유한 가치와 학문을 연구하는 학문으로, 경영학자들을 중심으로 탄생하고 발전하여 융성되고 있다.

이러한 흐름 속에서 친디아로 불리는 인도와 중국은 아시아의 저력 있는 국가로 주목받고 있다. 인도와 중국은 과거 시대부터 현재까지 유구한 문화적 전통과 발전상을 가지고 있다. 이러한 저력은 현대에도 강하게 드러나고 있다.

본 저서는 이러한 친디아의 현재와 미래를 조명했다. 이러한 조명을 통해 독자들이 인도와 중국의 문명과 역사를 살펴보면서 문명의 변화 양상을 이해하고 이를 통해 한국과 친디아의 관계가 더욱 증진되는 것에도 이바지하고자 한다.

아울러 저서의 기획과 발간에 도움을 주신 분들에게도 이 지면을 빌려서 감사의 말씀을 전해드린다.

차례

제 1 장

친디아 시대를 만나다

친디아는 무엇인가?

근래 세계는 서구 중심적 질서에서 탈피하여 아시아의 시대가 열리고 있다. 이러한 가운데 아시아의 두 거대 신흥 강대국인 인도와 중국에 대한 주목이 커지고 있다. 인도와 중국은 10억 이상의 인구를 통해 막강한 내수 시장과 자원 그리고 경제력으로 세계의 공장을 넘어 세계의 시장 역할을 대부분 수행할 정도로 급격히 성장하고 있다.

이러한 상황에서 인도와 중국을 묶어서 부르는 친디아(Chindia)는 세계적으로 널리 사용되는 신조어이며 그와 관련한 연구에 전념하고 있다. 특히 아시아지역학에서도 인도와 중국의 경영학적 측면에 대해서 친디아라는 용어를 사용하여 연구하고 있다.

한편 국내에서는 분당권에서 친디아 관련 관심이 상당하다. 이는 해당 지역이 확장 강남권의 일부이면서도 판교신도시,

죽전교육단지(죽전동 소재 대학 포함) 등의 우수한 연구 및 교육 시설과 관련 역량을 풍부하게 가지고 있기 때문이다.

이러한 점에서 친디아에 관한 관심은 선택이 아닌 필수임을 분당의 사례에서 볼 수 있다. 고로 친디아 시대를 준비하면서 우리는 그들을 좀 더 깊게 인식하고 새로운 아시아 시대의 선각자가 되어 한국의 새로운 성장 동력으로 친디아와 함께해야 하는 법이다.

중국 문화권의 범위와 이해

친디아의 일부인 중국을 살펴보려면 먼저 중국 문화권 그 자체의 범위와 이해를 수반해야 한다. 문화권은 실질적인 범위를 나타내는 것이므로 형식적인 행정 경계나 국경에 얽매이면 여러 심각한 오류를 범할 수 있는 법이다.

따라서 중국 문화권의 범위를 살펴보면 일반적으로 중화권이라고 할 수 있는 중국 본토와 홍콩, 마카오, 대만이 이에 해당한다. 일각에서는 한국도 유교 지역권이므로 범 중국 문화권이라고 주장하는 사람들이 있지만 이는 사실관계가 완전히 틀린 주장이다. 한국은 중국 문화권과 다른 독자적인 문화권이면서 유교 지역권도 아니다.

따라서 유교는 한국에 몹시 일부 영향을 주었을 뿐이다. 이러한 논리면 한국은 인도 문화권, 서구 문화권이라고 주장할 수 있는 것이다. 고로 한국은 중국 문화권도 아니고 유교 지역권도 아니며 유교에 종속된 것으로 해석해서도 안 된다.

또한 문명의 핵심은 언어의 상호 소통이자 교류라는 말처럼 중국 문화권에서는 인도 문화권에 준할 정도로 영어가 상당히 통용적으로 쓰인다. 그리고 중국 본토에서도 영어가 활발히 통용되고 관련 교육에 심혈을 기울이고 있다는 점에서 중국의 영어 사용에 관한 것은 매우 주목할 만하다.

이외에 동남아로 간 화교는 디아스포라의 일종이므로 중국 문화권에 직접적으로 속한다고 보기 어려우며 우리가 일반적으로 베트남의 경우 유교 지역권으로 생각하지만 전혀 유교 지역권도 아니고 중국 문화권도 아닌 동남아시아 자체 문화권으로 보아야 하는 것도 더불어서 깊게 첨언 가능하다.

인도 문화권의 범위와 이해

친디아의 일부인 인도는 상당히 독특한 측면을 보인다. 흔히 인화권이라고 불리는 인도 문화권은 인도 본토, 파키스탄, 네팔, 스리랑카, 방글라데시, 부탄, 아프가니스탄, 미얀마라고 생각하지만, 그 영향력은 동남아시아 전체 국가까지 미친다. 특히 베트남도 인도의 문화적 영향력 안에 있다는 점은 상당히 독특한 것이다.

아울러 대만은 근래 인도 문화권에 속하고자 하는 경향이 보인다. 남베트남, 홍콩, 마카오, 라오스왕국을 문화적으로 계승하면서 한국 문화를 적극적으로 받아들이더니 이제는 인도 문화도 적극 받아들이는 모습을 보이는 것에서 인도의 강력한 국제적 영향력을 알 수 있다.

이외에 인도 문화권에 속한 미얀마는 영국과 가까우며 상당한 영향력을 받지만 인도의 영향력도 무시할 수 없다는 점도 다시 살펴보아야 한다. 특히 카친주는 인도의 영향력이 상당하다.

이외에 영국의 영향으로 인도 내부에는 힌디어도 남북에서 널리 쓰이지만, 영국식 영어도 상당히 잘 통한다. 이는 인도가 영국식 영어가 공용어로 쓰이는 아프리카 국가들과 상당한 교류를 하는 점도 인도의 위상과 국력에 대한 여러 논증을 뒷받침한다.

대개 아프리카에서 영국식 영어가 공용어로 쓰이면서 인도와 깊은 교류를 하는 국가는 튀니지, 모로코, 서사하라, 리비아, 이집트, 지부티, 소말리아, 소말릴란드, 에티오피아, 모잠비크, 코모로, 마다가스카르, 앙골라, 콩고민주공화국(자이르), 콩고, 가봉, 적도기니, 상투메프린시페, 말리, 차드, 중앙아프리카공화국, 니제르, 모리타니, 카보베르데, 세네갈, 기니비사우, 기니, 코트디부아르, 부르키나파소, 토고, 베냉 등이 있다. 고로 인도의 문화적 영향력은 전 지구적이다.

국내 중국학 및 인도학 교육의 현황

국내에서 중국학은 대학에서 중어중문학과를 필두로 상당히 보편적으로 이루어지고 있다. 그러므로 이러한 경향에 대해서 계승하므로 별도로 지적하거나 개선해야 할 필요는 없다.

그러나 인도학의 경우 중국학에 비해 미약한 편이다. 특히 아시아지역학에서도 인도 영향력이 상당하고 아시아지역학이 지역학이 아니라 경영학임을 인도 학자들이 발견하고 이론적 체계를 세웠음에도 아시아지역학 내부에서도 거의 잘 모르는 경우가 있다.

따라서 국내에서 친디아의 균형적 외교와 이에 기반을 두는 국제적 접근을 위해서도 인도학을 강화할 필요가 있다. 특히 인도가 경제학 및 경영학에서 상당한 강점이 있으므로 이러한 부분에서도 인도와의 관계 증진에 도움이 된다.

한편 국내에서 인도학을 가르치는 전공은 대게 지역경제전공, 리더십과조직과학전공, 인문사회자율전공, 앙트러프러너십전공, 자기설계융합전공, 영어전공, 역사·문화학전공, 언어정보학전공, 글로벌비즈니스학전공, 공공행정인문학전공, 산업응용경제학전공, 국제통상전공, 유학동양학전공, 비교문학과문화전공이 있으며 유럽중남미학부 산하 프랑스어전공에서 아프리카학을 깊게 가르치는 것처럼 단과대인 외국어대학 산하의 글로벌한국어과에서도 인도학을 상당히 깊게 가르치는 편이라고 다수의 학자들이 평하고 있다.

대학 교과목에서 경영학 전공과목인 바이오헬스인문학, 국제지역학, 위대한지도자와그들의선택이 인도에 대해서 가르친다. 여기서 바이오헬스인문학은 요가와 베다 의학을 경영학적 관점에서 해석하여 인도와 연관짓는 몹시 특수한 과목이다. 이어서 교양 교과목의 경우 미디어문학의이해가 인도와 깊은 연관성이 있다.

하지만 이러한 국내의 인도학 관련 교육은 몹시 협소하다. 하다못해 조선시대의 성균관에서도 불교 관련 교육이 이루어졌고 인도에 대해서 깊게 가르친 것을 생각한다면 현대 한국의 인도학 교육은 조선보다도 보편적이지 못한 문제점을 볼 수 있다. 그러므로 이를 해소하기 위해서 대학 및 대학원에 인도학과를 추가로 설치하고 대학수학능력시험 제2 외국어 영역에서 힌디어를 추가하며 중학교와 고등학교에서 힌디어 교과를 개설하고 관련 교사 육성에도 나서야 한다.

이외에도 인도인을 적극적으로 유학생으로 받아들이고 과거 역사에서 한국과 인도의 깊은 교류 관계에 대해서 허황후 이외에도 많은 편이지만 일제에 의해 대다수가 소실된 아픈 과거를 복기하여 이를 되찾고 인도와의 역사적 관계 재발굴을 통해 관계 증진과 상호 형제 및 자매국 수준의 글로벌 동맹 관계 건설과 상호 경제 공동체 구축에도 적극적으로 나서야 하며 이는 국익에도 상당한 도움이 될 것이다.

새로운 시선으로 세계를 바라보자

지난날 한국은 중국과의 관계에 있어서 오랫동안 서방의 시각이나 매국노적 친중파의 시각으로 받아들여 왔다. 그 결과, 중국에 대한 이해가 부족하고 오해가 많아져 양국 간의 갈등이 깊어지는 결과를 초래하기도 하였다.

이는 서방 중심적 사고에 의한 것으로 중국에 대한 올바른 이해를 통해 한국의 국익을 증진할 수 있음에도 편견으로 이를 잘하지 못한 것이다. 고로 현재의 한국은 지난날의 역경을 딛고 일어서서 세계 10위의 선진국으로 도약하였다.

비록 완벽하다고 할 수는 없지만, 다른 국가들에 비해 상당히 우수한 부분이 많은 국가이다. 그러므로 중국과의 관계에서 자주적으로 대할 수 있으며 우리의 국익을 강하게 주장할 수 있다.

그러나 한국 사람들의 사고 속에서 서방의 영향력은 지대하다. 그로 인해 비서방 국가들과 문명에 대해서 일부 곡해하거나 오해하는 경향이 있다. 그러므로 중국과의 대화에 있어 역설적으로 종속화되는 경향이 깊어질 수 있다.

이러한 경향은 위에서 언급한 것처럼 중국과의 교류뿐만 아니라 한국과 비서방 국가가 소통하고 교류하는 데 있어 결코 긍정적인 영향력을 줄 수 없으며, 우리에게도 직접 및 간접적으로 상당한 규모의 피해를 줄 수 있다.

이러한 경향을 극복하기 위해서는 서방 중심적 문명관에서 벗어나 다극적인 문명관을 가져야 한다. 다극적인 문명관은 모든 문명을 동등하게 바라보고 이해하려는 태도이다. 이러한 태도는 한국과 비서방 국가가 서로를 이해하고 소통하는 데 있어서 필수적이다.

특히 한국 사회가 다문화로 접어드는 와중에 다원적 사고를 갖추게 된다면, 우리가 진정으로 잠재된 힘을 끌어내어 우리가 모두 한 단계 성장하는 힘이 될 것이며 자주적인 교류에 나서야 한다.

친디아와 함께 보는 사람의 기원과 발전

표준국어대사전에서 사람을 찾아보면 '생각하고 언어를 사용하며, 도구를 만들어 쓰고 사회를 이루어 사는 동물'로 정의한다. 이처럼 사람은 문명을 이루며 진보하는 존재다.

그들은 자연을 변형하고, 온갖 짐승을 거느린다. 하지만 사람은 맹수처럼 날카로운 이빨이나 발톱도 없고 힘도 떨어진다. 그렇지만 세상을 지배하는 위업을 달성할 수 있었던 것은 사람이 다른 모든 짐승보다 지능에 온 힘을 다한 세상에서 가장 위대한 존재이기 때문이다.

사람이 최초로 출몰한 지역은 아프리카이다. 과학자들은 기원전 200만 년쯤부터 현재의 사람과 유사한 원시인이 등장했다고 본다.

그 존재를 우리는 오스트랄로피테쿠스라고 칭한다. 오스트랄

로피테쿠스는 직립보행을 하고 두 손을 자유롭게 사용했다. 사실상 사람이 이동에 사용하는 발이 아닌 누구도 가지지 못한 창조적인 손을 가지게 된 것이다.

자유로운 두 손을 가진 사람은 이제 거리낌 없이 발전을 이뤄나갔다. 작은 도구를 만들고 불을 발견하여 활용하는 등 사람은 짐승과의 투쟁에서 영구적인 승리를 거두고 이제 그 집단 내부에서 스스로 투쟁한다.

특히 불의 발견은 사람에게 있어서 혁명에 가까운 일이었다. 불은 사람에게 어둠을 몰아내고 밤을 밝혀주었으며, 음식을 조리하고, 추위를 견디게 해주는 등 다양한 용도로 널리 사용하며 문명의 이기를 누렸다.

그리고 사람은 점점 지능을 발달시켜 나갔고, 그 결과 다양한 문명을 이루게 되었다. 사람은 자연을 변형하고, 새로운 도구와 기술을 개발하여 문명을 발전시켰다. 그리고 그 사람은 지능을 바탕으로 문명을 이루고 발전해 왔다. 사람의 지능은 사람을 다른 짐승과 구별되는 거의 신에 가까운 몹시 다른 존재로 만들었다.

이러한 사람은 앞으로도 지능을 발달시켜 나갈 것이며, 그 결과 더 발전된 문명을 이루게 될 것이다. 사람은 항상 앞으로 진보하는 존재이며 진보해야 하는 존재이며 진보는 사람의 영구적인 숙명이다.

현재까지도 이어지는 철기 시대

현재 우리가 살아가고 있는 시대에는 여러 자원이 사용된다. 그중에서 에너지로 사용되는 자원을 제외하고 특정 대상을 만들 수 있는 재료로서의 자원을 생각하면 아마 철이 주요할 것이다.

비록 현시대에 플라스틱도 많이 사용되지만, 철이 사용되는 부문은 셀 수 없을 정도로 많다. 결론적으로 우리가 역사 시간에 배운 철기 시대가 지금까지도 이어지는 셈이다.

역사 속에서 사람이 처음 사용한 것은 돌이다. 고대 유물은 대다수 돌로 만들어져 있다. 이는 돌이 쉽게 구할 수 있고 쉽게 다듬을 수 있다는 장점이 있었기 때문이다.

하지만 돌은 강도가 약하여 쉽게 깨지고 뭉툭해진다. 이는 특히 무기에서 약점을 강하게 드러내므로 다른 재료를 발견해야 하는 필요성이 대두하였다.

이러한 문제점을 극복하기 위해서 석기 다음으로 사람이 사용한 것은 청동이다. 청동은 구리와 주석을 섞은 합금으로 석기보다 훨씬 강한 강도를 가진다. 다만 원재료가 되는 구리와 주석이 몹시 귀하고 그 제련 기술의 상당한 숙련도를 요구하므로 무기나 상류층의 장신구 이외의 일상용품은 계속 석기로 제작했다.

또한 동아시아에서도 주석을 구하기 위해 대규모 무역을 하기도 하였다. 한편 유럽과 지중해 지역에서는 청동기 교역망을 가지고 있었는데, 기원전 11세기경 바다 민족이라고 불리는 집단에 의해 문명이 완전히 파괴되어 문자까지 끊어지는 암흑시대를 겪었다고 한다. 현재의 역사가들은 이들을 멸망시킨 바다 민족이 사용하는 무기가 철기로 추정되고 있다. 이 철기는 청동기보다 훨씬 강력하여 바다 민족이 유럽과 지중해 지역의 문명을 멸망시킬 수 있었던 원동력이 되었다.

초창기에는 제련 기술이 낮아서 철기를 만들기 어려웠지만, 제련 기술이 발전하자 청동기보다 훨씬 흔한 철기는 일상의 모든 영역으로 퍼져 나갔다. 이는 현재까지도 철기가 미치는 영향력을 알 수 있다. 특히 중국과 인도가 막대한 선철 매장량을 가지고 있음에도 타국의 철광산 개발에 뛰어드는 것을 보면 현대에도 철기의 중요성은 더 말한다면 입이 아플 정도이니 더 논의할 필요가 없다.

노비가 되기를 원치 않는 자들

고대 지중해를 보면 그 일대 멸망한 문명의 잿더미에서 그리스 도시국가들이 태어났다. 아테네와 스파르타를 중심으로 한 도시국가들은 서로 다른 정치체제와 문화를 가지고 있었지만, 자유의 마음은 하나였다.

아테네는 시민이 중심이 되는 민주주의 국가였다. 시민은 자유롭게 의사를 표현하고, 정치에 참여할 수 있었다. 스파르타는 철인에 의해 다스려지는 군사 국가였다. 남성 시민은 어린 나이부터 전사로 양성되어서 강한 정신력과 전쟁 기술을 연마했다. 이러한 두 도시국가는 페르시아 제국의 침략에 맞서 싸웠다. 페르시아 제국은 강력한 군사력을 가지고 있었지만, 그리스 도시국가들은 자유를 위해 굳건히 맞섰다.

아테네는 마라톤 전투에서 페르시아군을 물리치며, 그리스 도시국가들의 자유를 지켜냈다. 스파르타는 테르모필레 전투에서 300명의 전사가 목숨을 바쳐 페르시아군의 진격을 지연시켰다. 이러한 그리스 의용군의 투쟁은 자유를 사랑하는 사람들에게 큰 영감을 주었다.

그들의 투쟁은 가장 아름다운 곳에서 반대로 가서 자유를 위해 싸웠기에 최미역행(最美逆行)이라고 널리 칭송받을 가치가 상당한 정도로 있다. 이는 근대 동아시아에서도 중국의 국공합작 당시 일본제국과 싸웠던 중국인들도 그리스 도시국가들의 투쟁에서 용기를 얻은 것에서 보듯 인상을 주었다.

작은 도시국가들이 거대하고 강력한 제국과 맞서 싸우며 자유를 지켜낸 이야기는, 오늘날에도 우리에게 큰 의미를 준다. 자유는 쉽게 얻어지는 것이 아니라, 끊임없이 투쟁하며 지켜내야 하는 소중한 가치이자 용기 있게 싸운 자만이 얻을 수 있는 달콤한 선물임을 상세히 일깨워준다.

제 2 장

친디아 문명의 태동과 발전

황하문명과 하나라부터 춘추전국시대까지

중국은 세계 4대 문명 중 하나이자 현재까지도 단일화된 문명권으로 이어지는 황허문명을 꽃피웠던 나라이다. 황하문명은 기원전부터 중국 황하강 일대에서 시작되었다. 대표적인 유적으로 귀갑이 있으며 이 시기에 현재 한자의 기원인 갑골문자가 탄생하였다.

한편 이러한 황하문명이 발전하면서 부족이 커져 국가가 탄생했다. 현재 역사가들에 따라 의견이 분분하지만 실존했다고 보는 사람도 있는 하나라는 전설 속의 요순시대 이후 순임금의 신임을 얻어 우 임금이 세웠다고 한다. 하지만 아직 고고학적 증거는 명확하지 않아 구체적인 내용은 미궁에 빠져있다. 우리가 흔히 은나라로 불리는 상나라는 은허 지역에 유적이 발견되면서 그 존재가 증명되었고 특히 현재의 상업의 '상' 자에 영향을 줄 만큼 그 발자취가 상당했다.

이후 반란으로 탄생한 주나라는 중국의 인문주의, 천(天) 사상, 그리고 세계 체제 등의 기틀을 놓았다는 점에서 그 의의가 매우 크다고 평가된다. 하지만 주나라의 질서가 붕괴하자 각지에서 반란이 일어나는 춘추전국시대로 접어든다. 춘추전국시대는 기원전 771년부터 기원전 221년까지 약 500년 동안 지속하였으며, 여러 제후국이 경쟁하며 발전한 시대이다.

춘추전국시대에는 혼란상 속에서 질서를 추구하기 위해 다양한 철학 사상들이 발전하였다. 노자, 맹자, 공자, 장자 등이 대표적인 철학자로, 그들의 사상은 중국의 문화와 정치에 큰 영향을 미쳤다. 춘추전국시대의 마지막에는 진나라가 중국을 통일하였으며, 중국은 중앙집중형 통일 국가로 한 단계 도약하였다.

진나라와 하나의 중국

춘추전국 시기의 혼란이 극에 달하고 각지의 투쟁이 끊임없이 이어졌지만 '흩어진 것은 반드시 하나가 된다'는 세간의 말처럼 혼란을 종식할 강한 세력이 등장했다. 그 세력의 이름은 '진나라'였다. 당시 중국 북서부에 있던 진나라는 강력한 군사력과 엄정한 규율을 가지고 중국을 통일하였으며 그 나라의 왕이었던 영정은 최초의 황제라는 뜻으로 진시황이라고 불렸다.

그는 통일 이후 강력한 중앙집권국가를 세웠다. 이는 현재의 중화인민공화국과 과거 중국의 모든 국가가 추구하는 강력한 중앙집중적 전통을 세운 것이다. 또한, 귀족들의 권력 기반을 파괴하기 위해 그들을 멀리 떨어진 곳으로 이동했는데 이는 한국과 일본에도 유사한 제도가 생기는 것에 좋은 선례가 되었다.

그리고 통일된 문화를 창조하고 수로와 운하를 건설하며 언어와 도량형을 통일했다. 그리고 현재도 중국의 유명한 유적인 만리장성을 이민족의 침입을 막기 위해 처음 건설에 착수했다. 하지만 과도한 통일성에 집착한 나머지 법가를 제외한 다른 사상을 모두 이단시하여 분서갱유(焚書坑儒)라고 불리는 과도한 사상 및 학문 탄압을 하였고 고된 노역에 백성을 희생시키어 그 불만이 커지도록 하는 화근을 만들었다.

진시황은 영생을 꿈꾸며 불로초를 찾고 수은으로 이루어진 강이 흐른다는 구전이 있는 진시황릉을 지어 그의 권력을 대내외에 과시했다. 이것은 비슷한 시기의 로마제국의 황제들이 행한 권력 과시 이상이며 이집트의 피라미드 건설에 필적하거나 그 이상이라도 평가될 정도이다. 하지만 진시황 사후 진은 허무하게 무너졌지만, 중앙집중화된 중국의 첫 기틀을 세웠다는 점에서 진나라의 의미는 작지 않다고 역사가들은 평한다.

한나라의 탄생과 한족의 형성

중국인을 민족으로 부르는 명칭인 한족은 한나라에서 그 이름을 따온다. 한나라는 중국 역사상 최초의 통일 국가는 아니었지만, 가장 오랫동안 지속한 국가이자 가장 많은 영토를 차지했던 국가였다. 또한, 유교를 국교로 삼아 중국의 문화와 사상에 큰 영향을 미쳤다.

한나라의 탄생은 진나라의 멸망으로부터 시작된다. 진시황의 폭정으로 민심이 돌아서자, 유방(고조)과 항우가 이끄는 두 세력의 대결이 벌어졌다. 이른바 초한지를 통해 널리 알려진 초한전쟁에서 유방이 승리하면서 한나라가 건국되었다.

유방은 진나라의 폭정을 타파하고 민생을 안정시키기 위해 노력했다. 또한, 유교를 국교로 삼아 중국의 통합과 발전에 이바지했다. 이러한 유방의 정책은 한나라의 안정과 발전에 큰 역할을 했다. 한나라는 유방을 시작으로 200여 년 동안 지속하였다. 이 기간에 한나라는 중국의 경제와 문화를 크게 발전시켰다. 또한, 흉노와의 전쟁에서 승리하면서 중국의 국경을 확장했다.

한편 중국 역사를 보면 한족은 한나라의 멸망 이후에도 중국의 주류 민족으로 자리 잡았다. 이는 한나라가 중국에 남긴 문화와 사상의 영향이 크기 때문이다. 그러므로 한나라는 중국 역사에 있어 가장 중요한 국가를 넘어 중국인의 정신적 고향으로 평가된다.

로마에게 영향을 준 한나라

한나라는 최초로 실크로드 동서 무역로를 만들어서 로마와 교류했다. 로마로부터 유리와 산호를 수입하고 비단과 면직물을 수출했다.

한나라와 로마는 광활한 영토를 정복했으며 이민족의 공격에 맞섰다. 그리고 당시 지역의 문화적 및 정치적 중심지였으며 로마의 신화 중 '황금의 시대'와 중국의 신화 중 '요순시대'의 내용이 비슷하는 등 상호 간의 깊은 교류와 무역이 있었음을 알 수 있다. 하지만 현재의 로마는 여러 나라로 분열되었고 시민이 성장했지만, 중국은 통일된 채로 현재까지 오면서 로마와 다른 형태의 아시아의 가치를 담은 시민을 만들었다.

근래 서구의 역사가들에 의해 중국을 비롯하여 한나라가 폄하되고 고대 로마의 위상은 일방적으로 높여지지만, 당시 한나라는 로마도 두려워하는 지구상 초강대국이었으며 로마에 미친 경제적, 사상적 영향력은 부정할 수 없는 근거가 존재하는 사실이자 역사이다.

실제로 로마는 한나라를 많은 부문에서 벤치마킹했다. 대표적으로 한나라의 행정 체제와 군사제도를 참고하여 로마의 제국을 더욱 안정적으로 운영하는 것에 좋은 참고가 되었다. 또한, 한나라의 과학 기술과 문화도 로마에 전해져 고대 유럽의 발전에 기여했다.

이처럼 한나라와 로마의 교류는 단순한 경제적 무역을 넘어 두 국가 간의 상호 신의 있는 문화적, 사상적 교류로 발전했다. 이러한 과거의 로마와 한나라의 교류는 고대 세계의 발전에 중요한 역할을 했으며, 오늘날에도 중국과 유럽의 관계에 영향을 미치고 있다.

고대 동양과 서양의 문명 충돌과 그 결과

로마 제국은 한때 지중해 세계를 통일한 강대국이었지만, 기독교의 공인과 함께 내부적으로 쇠퇴의 길을 걸었다. 노예제 경제의 한계, 대중영합주의에 빠진 황제들의 무능, 그리고 게르만 이민족의 침입으로 인해 로마는 결국 멸망하고 말았다.

로마의 멸망 이후 유럽은 중세로 접어들면서 종교가 모든 것을 지배하는 농노 사회가 되었다. 십자군 전쟁을 통해 이슬람 세력과 충돌하기도 했지만, 문명의 충돌에 취약한 모습을 보였다.

반면 중국은 한나라 이후에도 여러 이민족 왕조가 들어서며 문명의 충돌을 경험했지만, 특유의 중화사상과 이민족 포용 정책으로 이를 극복해 나갔다. 몽골 제국의 침공과 원나라 수립, 만주족의 청나라 건국 등 큰 위기를 맞기도 했지만,

결국 궁극적으로는 승리하는 모습을 보였다.

로마와 중국의 문명 충돌에서 두 나라는 서로 다른 결과를 맞이했다. 로마는 내부적인 문제로 인해 쇠퇴하고 멸망했지만, 중국은 특유의 문화와 정책으로 이를 극복하고 번영을 이어 나갔다.

이러한 결과는 문명 충돌에 대한 중요한 시사점을 준다. 오로지 힘으로만 대항하는 것은 근본적인 해결책이 될 수 없다. 오히려 서로의 문화와 가치를 존중하고 포용함으로써, 문명의 충돌을 극복하고 편협한 관점을 탈피하여 새롭고 창조적인 발전을 이룰 수 있다는 교훈을 얻었다.

흑사병을 만난 동양과 서양

흑사병(Black Death)은 14세기 세계를 휩쓴 대유행 전염병으로 7,500만 명 이상의 인구를 사망케 한 것으로 추정될 정도로 현재까지 인류 역사상 가장 큰 피해를 준 전염병이다. 흑사병은 몽골 제국이 유럽을 침공하면서 함께 전파되었는데, 당시 몽골군이 투석기를 통해 감염자를 성안으로 던지기도 했다는 기록이 있다.

공포의 학살자로 불리게 된 흑사병의 창궐로 유럽의 문명은 큰 타격을 입었다. 도시는 황폐해졌고, 경제는 마비되었으며, 사람들은 공포와 슬픔에 빠졌다. 흑사병은 당시 유럽의 지배 이념인 기독교의 권위를 완전히 파괴하고 무너뜨렸다.

한편 동양에서는 인도에게 가장 큰 타격을 주었으며 인도 역사에서 흑사병에 대한 영향과 관련 연구는 상당히 이루어지고 있을 정도로 흑사병은 인도에 큰 영향을 준 질병이다.

한편 흑사병은 시간이 지나면서 사라졌지만, 이후에도 여러 전염병은 전 세계에 주기적으로 유행했다. 19세기에는 콜레라가, 20세기에는 스페인 독감과 에이즈가, 21세기에는 코로나19가 인류에게 고통을 주었다.

오늘날에도 전염병은 중세의 흑사병처럼 인류에게 위협이 되고 있다. 특히 코로나19 팬데믹은 전 세계를 휩쓸며 경제와 사회에 큰 혼란을 일으켰다. 일각에서는 21세기의 흑사병이라고 불릴 정도로 극심한 공포가 난무하였다.

하지만 인류는 현실에서 항상 전염병의 위기 속에 산다. 지금의 코로나19처럼 중세의 흑사병은 인류에게 큰 고통을 주었지만, 몹시 오만했던 생각과 망상이 가져오는 중독의 늪에서 벗어나는 계기가 되었으며 그것을 통해 인류는 한 단계 더 도약할 수 있게 되었다.

한나라부터 원나라까지

한나라는 외척이었던 왕망에 의해 신나라로 바뀌지만, 얼마 지나지 않아 왕망의 무능한 통치로 다시 한나라로 돌아왔다. 후대의 역사가들은 신나라를 기준으로 전한과 후한으로 구분한다. 중국의 재통일을 이룬 한나라이지만 점차 노쇠해지면서 멸망의 길로 갔다. 한나라 멸망 이후부터 중국은 중세가 시작된 것이다.

한나라의 멸망 이후 우리가 흔히 소설 '삼국지연의'와 정사 '삼국지'를 통해 익숙한 위, 촉, 오에 의한 삼국시대가 시작되었다. 위나라에서 탄생한 진(晉)나라가 혼란스러운 삼국시대를 통일하지만, 이민족에 의해 남부(강남)로 밀려나면서 중국의 북부(화북)에는 최초로 이민족에 의한 왕조가 세워졌다. 그리하여 북부에는 이민족 왕조가 이어지고 남부에는 한족 왕조가 이어지는 남북조시대가 이어졌다. 이후 한족 왕조인 수나라에 의해 다시 통일되고 수나라는 멸망하고 이연이 당나라가 건국했다가 환관의 전횡에 나라는 부패하고 이민족과 지방 토호들에 의해 분열되면서 중국은 춘추전국시대에 준하는 오대십국시대의 혼란기를 겪게 되었다.

이후 송나라가 등장하며 통일하지만 몽골 제국의 성장으로 인해 남부로 밀려났다가 멸망하면서 몽골은 이민족이 중국 전역을 차지하는 최초의 왕조인 원나라를 세웠다. 이후 원나라가 약해지면서 몽골은 북방 초원으로 밀려났고 다시 한족 왕조인 명나라가 중국에 등장했다. 그것은 근대가 아닌 근세가 시작되는 중국 역사상 몹시 기묘한 순간이다.

또한 원나라는 중국의 역사이자 몽골의 역사인 점에서 현대 중국에서는 일부 폄하되는 것도 있지만 이는 농경민족 중심의 사고에 매몰된 것으로 유목민족은 유목민족의 관점으로 바라보아야 하는 것을 망각한 것이다. 일반적으로 몽골은 폭력의 나라로 오해하지만, 당시 가장 선진적인 국가였고 이러한 몽골 제국의 후신인 원나라도 마찬가지다.

특히 몽골이 실력에 충분하며 그 출신은 묻지 않는 점과 제한적이지만 민주주의를 실현한 것은 몽골인의 지혜를 볼 수 있다. 고로 우리는 이러한 몽골 제국과 원나라의 역사를 통해 몹시 편협한 농경민족 중심의 사관에서 벗어나서 유목민족을 공정하게 바라보아야 한다.

제 3 장

현대 친디아의 기원과 미래

명나라와 근세

중국은 당나라 이후 여러 이민족 왕조가 이어졌다. 그들은 중국 전역을 차지하거나 일부를 차지했지만 더 이상 중국은 한족만의 독자적 무대가 아님을 밝히는 선언과 같았다.

특히 원나라는 몽골에 의해 건설된 나라로 기존의 이민족 왕조가 오합지졸 도적과 같은 모습에 야생적 태도가 깊었다면 몽골은 문명화되고 길들여진 이민족 왕조를 탄생시켰다.

하지만 이와 같은 이민족의 잔치는 한족에게는 민족적 치욕이었다. 그때 주원장이 중국이라는 무대에 등장했다. 그는 가난한 농민 출신이었다. 원나라 말기 홍건적이 세상을 어지럽히던 시기 그는 변혁을 꿈꾸며 자신을 따르던 이들을 모아 세력을 키웠다. 그리고 마침내 1368년 원의 수도인 대도(베이징)를 점령하고 명나라를 선포했다.

명나라는 잃어버린 한족이 자존심을 회복하고 한족에 의한 중국 통치가 다시 제대로 시작되는 기원을 열었다. 하지만 당시 유럽은 구텐베르크의 금속활자 발명이나 여러 과학적 발전이 혁명적으로 이뤄지는 데 반해 중국은 그러한 부문이 취약했다. 그리고 그것이 오늘날 서양과 동양의 격차를 만들어 낸 시작이었으며 명나라가 근대가 아닌 중세와 근대 사이의 애매모호한 지점을 일컫는 근세의 시작이 되었다.

한편 그때 중국이 서방에 뒤처진 것을 따라잡기 위해 현재의 후손들이 엄청난 시련과 고통을 겪을 수밖에 없게 만든 것이고 그럼에도 완전히 따라잡지 못한 비극과 회한의 눈물을 흘리게 만든 오래된 역사적 기원인 셈이다.

전근대가 끝나고 근대가 시작되다

유럽은 흑사병으로 인해 인구가 감소하면서 노동력 부족이 발생했고, 이는 새로운 기술과 생산 방식의 개발을 촉진했다. 또한, 흑사병으로 인해 기존의 질서가 붕괴하면서 새로운 사상과 가치관이 등장했다.

이러한 변화의 바람은 유럽을 넘어 전 세계로 확산되었다. 실크로드를 통해 동서 간의 교류가 활발해졌고, 유럽의 탐험가들은 신대륙을 발견했다. 이러한 교류는 새로운 문명의 탄생을 가져왔다.

특히, 유럽은 르네상스 운동을 통해 인본주의적 사고를 발전시켰다. 인본주의는 인간을 중심으로 세상을 바라보는 사상으로, 종교적 권위에서 벗어나 인간의 자유와 가치를 존중하는 사고방식을 확산시켰다.

15세기 말, 유럽은 이러한 변화의 물결을 가장 먼저 받아들인 지역이었다. 유럽인들은 동양의 진귀한 보물을 획득하기 위해 더 멀리 뻗어나갔고, 이를 통해 제국의 싹을 틔웠다.

이처럼 중세의 끝은 근대의 시작을 알리는 중요한 전환점이었다. 흑사병을 계기로 인류는 새로운 도전을 시작했고, 그 과정에서 새로운 문명과 가치관이 탄생했다. 그리고 인류는 새로운 시대를 맞이하는 준비를 하게 되었다. 그 새로운 시대의 서막에 유럽은 찬란한 빛과 환희가 넘쳤고 중국을 비롯한 동양에는 비극과 슬픔 그리고 어둠과 악마가 몰려왔다.

탐험욕과 근대 제국의 만남 그리고 서구

인류는 본능적으로 탐험을 갈망한다. 아프리카를 벗어나 유라시아로, 그리고 끝내 전 세계로 퍼진 인류는 신대륙을 발견하고 대항해의 길로 나아갔다. 이들 중 특히 콜럼버스에 의해 신대륙이 발견되고 그곳의 진귀한 것들이 유럽에 알려지면서, 유럽인들은 너도나도 탐험에 나섰다. 중국도 명나라 정화의 대원정을 통해 항해에 관심을 가지긴 했지만, 내부의 여러 이유로 인해 일회성에 그쳤다.

한편 유럽인들은 자신들을 제외한 사람들이 대항해에 적극적으로 나서지 않았기에, 사실상 그 내부에서 독점적으로 나설 수 있었다. 그리고 그들은 더 많은 식민지와 수탈할 대상을 찾기 위해 엄청난 욕망을 불려 나갔다. 그리고 그 욕망 아래에는 비유럽인의 눈물로 가득했다.

인류의 탐험욕은 본능적이기에 그 목적지는 어디든지 상관없이 끊임없이 탐험을 해왔다. 콜럼버스의 신대륙 발견은 유럽인들의 탐험욕을 자극하는 계기가 되었고, 그들은 중국에 비해 적극적으로 탐험에 나섰다.

그리고 그 결과, 유럽은 식민지 확장과 수탈을 위한 제국주의의 길로 나아갔다. 그리고 그 제국주의의 폐해로 인해 중국인을 비롯한 비유럽인은 고통과 희생을 겪어야만 했다.

세계화의 시작과 중국

명나라는 임진왜란에서 조선을 도운 이후 더욱 쇠락하던 국력에 쐐기를 박았다. 만주족의 융성으로 명나라는 멸망하고 청나라가 건국되었지만, 중국의 근본적 변화와 근대를 향한 시도는 암울하게도 전무했다.

한편 유럽은 신대륙 발견 이후 남미에서 은 광산이 발견되자 대규모의 실버러시가 일어났다. 여기서 채굴된 은은 유럽이 중국의 물품을 사기 위한 대금으로 사용되었다. 한편 신대륙에서 금 광산도 발견되면서 골드러시도 폭발적으로 일어났다. 이제 유럽인은 새로운 기회를 찾아 신대륙으로 건너가 정착했고 폭력을 동원해서 원주민의 땅을 빼앗고 그들의 정착촌을 만들었다. 마치 지금 팔레스타인에 이스라엘이 정착촌을 건설하며 저지르는 짓을 그 당시에도 한 것이다.

한편 신대륙과 유럽은 상호 긴밀하게 소통하고 서로의 자원과 사람을 통해 살아갔다. 또한, 유럽인들은 신대륙으로 건너가 정착했고, 원주민의 땅을 빼앗았다. 그리고 이러한 과정은 경제학적으로 세계화의 초기 형태로 볼 수 있다.

또한, 네덜란드에서는 튤립 투기가 성행하여 경제적 버블이 생겼는데, 이는 초기 자본주의적 행태의 한 예로 볼 수 있다. 하지만 중국은 이러한 변화 속에서도 아무런 변화가 없는 무풍지대이자 정체된 땅 그 자체였다.

잠자는 인도 앞에 다가온 유럽

사람은 언제나 새로운 한계에 도전하면서 새로운 자원과 지식을 구하기 위해 노력해 왔다. 17세기의 유럽은 이제 지구 전체를 대략 파악하게 되었다. 무한한 팽창과 영토 경쟁은 이제 서서히 지도상의 빈칸이 사라지고 충돌을 예고했다.

한정된 자원과 영토를 두고 유럽인은 전 세계적으로 충돌했다. 그리고 그 과정에서 인도를 비롯한 비유럽은 그저 유럽의 욕망을 충족시키기 위한 대상으로 전락했다. 그리고 그 과정에서 과학 혁명이 일어나 유럽의 힘은 더욱 강해졌다.

이러한 유럽의 상황에도 인도는 깊이 잠든 사람처럼 깨어나지 못하고 있었고, 결국 유럽의 몹시 불쾌한 방문을 받게 되면서 식민지로 전락하는 전초극을 열었다.

중국의 위협과 자주적인 대한민국

현재의 중국은 동아시아의 큰 위협이라고 평가받을 정도로 일반적인 외교 정책을 취하고 있으며 모든 것이 중국 것이라는 기가 막힌 사고방식을 가지고 있는 국가이다. 이러한 비상식에는 자유 진영이 연합하여 대응하는 것이 현명하다.

특히 국내에는 종북 세력이 친중적 성향도 함께 가지고 있어 상당히 어렵다. 종북 세력은 과거 북한이 한국보다 잘살던 시기에는 카타르시스 적 쾌감을 느꼈지만, 현재는 한국이 더 잘살기 때문에 이러한 인지부조화를 해소하기 위해 여러 정신 승리를 지속하는 경향이 많다.

대개 한국의 발전을 최대한 저지하고 망하게 해서 북한과 비슷한 경제 수준으로 떨어트리려고 하는 경우가 많으므로 이를 매우 조심해야 한다. 또한 이들은 현재 인도가 중국의 대체제가 됨에도 이를 부정하기 위해 인도를 깎아내리는 정신병적 사고를 하는 예도 있으므로 이들에 대해서는 국가 발전을 좀먹는 기생충으로 생각하고 단죄해야 한다.

한편으로는 중국의 위협을 방어하기 위해 한국의 독자적인 문화권을 확립하고 여러 잊힌 역사를 조명해야 한다. 대표적으로 사자는 한국에 있었으며 한국의 국가적 동물로 호랑이에 준하여 취급해야 한다는 것과 대마도는 역사적으로 한국 영토라는 사실이 있다. 아울러 학문적으로도 통일학 또는 북한학과 한국학[1]은 평화학임을 명심해야 한다.

또한 정치적 측면에서 국가 의전 서열에서 비교섭단체 정당의 대표는 국무위원급으로 대우하고 비교섭단체 정당의 원내대표와 주요 원외 정당[2]의 대표는 준국무위원급[3]으로 대우해야 하며 민주평화통일자문회의 자문위원은 5급 사무관으로 대우하지만, 의전에서 모든 5급 사문관 중 최우선으로 하여야 하며 통일부 통일교육위원은 민주평화통일자문회의 자문위원에 예 하도록 하므로 5급 사무관 대우를 하며 민주평화통일자문회의 지역협의회의 옵서버로 대우하고 표결권은 없지만 발언권은 제공하면서 자문위원 결석 시 최우선으로

1) 주로 '외국어로서의한국어교육학'임
2) 국회 의석은 없지만 지방의회에 의석이 있거나 국고보조금을 받는 원외 정당을 의미함
3) 장관과 차관의 중간급

하여 위촉한다. 또한 대게 두 직책은 겸임하는 것이 관례이므로 위의 경우는 민주평화통일자문회의 자문위원을 겸임하지 않은 통일부 통일교육위원에 한한다. 따라서 이러한 의전의 엄밀성도 올바르게 계승해야 하는 것이다.

아울러 지리학적으로 서울과 같은 수도명과 기독이라는 단어가 겹쳐서 사용되는 경우 기독을 그 종교적 의미 함축성에서 서쪽으로 해석하여서 서서울로 해석하는 것이 옳으므로 대학명으로 사용되는 경우 서서울대학교로 사용해야 한다. 이는 함축적 지명성으로 동두천을 북서울로 해석하기도 하는 예시에서 볼 수 있으며 주로 대학 캠퍼스명에서 이를 사용한다. 따라서 이는 북서울대학교로 해석해야 한다.

결론적으로 이러한 중국 위협을 위와 같은 창조적 방안으로 고려해서 대처하면서도 국내에서 외교적 지평을 넓히기 위해서 현재 겸임 중인 국가에 대사관을 설치하고 국내에도 해당 국가가 대사관을 개설할 수 있도록 범정부 차원에서 적극적 지원의 자세가 필요하다.

새로운 대안과 공화국 인도

이제 서방에 의한 모든 형태의 독점이 깨어지고 중국이 대두되며 과거의 어두움과 폭력은 영원한 망각에 갇혔다. 하지만 그 교훈은 영원히 기억하면서 우리는 현재 앞으로 나아가고 있다.

우리가 살아가고 있는 현시대에 인류는 지구를 완전히 지배하고 있다. 지리적 한계를 뛰어넘어 구석구석을 개척하고, 우주를 개척하고자 나아가고 있다. 이미 달은 1969년에 인간이 방문하였다.

인류는 과학을 극한으로 쌓아 올려 인공지능의 발달을 이끌었다. 인공지능은 이제 단순히 기계의 지능을 뛰어넘어 인간의 지능을 모방하는 수준에 이르렀다. 인공지능은 이미 우리 삶의 많은 부분에 깊숙이 들어와 있으며, 앞으로 더욱더 우리 삶을 변화시킬 것이다.

기술의 발전은 가속화되고 있다. 기술은 기술을 발전시키고, '기술적 특이점'을 향해 앞으로 나아가고 있다. 기술적 특이점은 기술이 인간의 통제력을 넘어서 인간과 사회를 근본적으로 변화시킬 수 있는 지점이다.

인류는 언제나 새로운 것을 향해 지평선 너머로 항해하는 여행자이자 탐험가이다. 15만 년 동안 앞으로 나아온 인류는 이제 이 장에서 현재를 만난다. 앞으로 어떠한 역경과 시련이 존재하는지 아무도 알 수 없다.
그러나 인간은 지구에 등장한 순간부터 도전의 연속을 극복하고 시련을 넘어서 동물에서 지성체로 진화했다. 이제 그 승리의 역사를 뒤로하고 새로운 지혜를 얻으며 새로운 경계를 넘을 것이다.

인류의 다음 이야기는 우리가 하기 나름이다. 우리는 기술의 발전을 통해 더 나은 세상을 만들 수 있다. 그러나 기술을 잘못 사용한다면 우리를 파멸로 이끌 수도 있다.

그리고 우리는 발전의 근원인 기술을 책임감 있게 사용하고, 지구와 인류의 지속 가능한 미래를 위해 노력해야 한다. 그래야만 우리는 지평선 너머로 도전하고, 인류의 역사를 새로운 챕터로 이끌 수 있을 것이다.

이러한 현실 속에서 그러한 챕터를 이끄는 것은 인도공화국이며 그들의 전진은 인도의 도약과 미래에 대한 희망찬 도전 정신에서 비롯되고 있다.

근대화와 국제화 그리고 힌두교

힌두교는 인도의 민족주의 종교이자 다신교이다. 이러한 힌두교가 현대화되면서 세계종교로 나아가고자 하는 적극적이고 창조적인 움직임이 있다.

한편 힌두교의 세계종교화를 실현하기 위해서는 3가지의 선결 방안이 필요하다. 카스트제 재해석, 일신론적 재해석, 민족주의적 폐쇄성 탈피이다.

카스트제 재해석의 경우 결론적으로 모든 신분은 평등하며 특정한 카스트가 부여되지 않고 악행을 해서 불행한 윤회를 하더라도 그것이 제삼자가 공격의 수단으로 삼아서는 안 된다는 형태로 변화하고 있다.

일신론적 재해석의 경우 힌두교는 기본적으로 다신교이지만 모든 신들이 하나이며 상황과 시대에 따라 다른 인격으로 인간과 대면하며 이러한 신을 '트리무르티'라는 명칭으로 일원화하여 통칭해야 한다고 본다.

민족주의적 폐쇄성 탈피의 경우 힌두교는 누구나 신자가 될 수 있으며 인도의 문화적 요소와 힌두교는 분리되어야 한다고 재해석한다.

이외에도 시크교, 자이나교, 바하이교, 조로아스터교, 마니교를 포용하여 남아시아 문화의 종합적 종교로 발전하면서 세계종교로 나아가도록 힌두교는 노력하고 있으며 중화권에서도 놀라울 정도로 힌두교 신자가 늘어나고 있다.

중국이 부상하는 시대와 한국의 외교 전략

중국이 대국적 굴기를 강화하는 현시대에 한국은 외교적으로 대안을 마련할 필요가 있다. 장기적으로는 인도를 비롯한 제3세력을 끌어들이는 것이 필요하며 단기적으로는 문화적 부문에서 중화권 문화가 중화인민공화국이 오롯이 대표하는 것이 아닌 중화민국도 일정 부분 그 지분이 있음을 명시하는 것도 필요하다.

이외에 서방과의 외교 부문에서 네덜란드어 연합, 포르투갈어 사용국 공동체에 옵서버로 가입해야 한다. 또한 중국에서도 상당한 관심을 가지고 근래 유럽에서 떠오르는 국가인 네덜란드를 주목하여 외교관계를 증대할 필요가 있다.

네덜란드는 벨기에와 룩셈부르크에서 강한 영향을 가지며 독일에서도 그 사용자 그룹이 존재할 정도이다. 특히 룩셈부르크에서는 근래에 네덜란드어 배우기에 열풍이 심하며 네덜란드어로 일상생활이 가능하다. 벨기에에서는 네덜란드어의 영향력이 프랑스어와 독일어를 현격하게 압도한다.

한편 외교를 바탕으로 한 혁신적 세계 재인식 부문을 살펴보면 동아시아 문화를 강하게 받는 베트남이 동남아시아 지도국이 되고 러시아가 다시 강성해져서 구 동구권에 강력한 문화적 영향을 미치는 점과 독일이 북유럽에 미치는 언어적 영향력, 아랍어가 아랍을 넘어서 이란과 터키에도 강한 문화적 영향력을 주는 것과 같이 시대적 융합과 혁신에서 추출된 사고가 변혁을 이끌고 있다.

국내에서도 용인으로 조선뿐만 아니라 일본제국도 천도하고자 했던 역사적 사실의 재발굴 등 동아시아 문제는 시대적 접점이 다양한 혁신적 연구 성과를 통해 의외의 부분에서 깊게 드러나고 있다.

이외에도 외교적 부문을 다시 깊게 살펴보면 시리아와 수교를 하고 소말릴란드, 북키프로스, 서사하라와 같은 미수교국에 대표부를 설치하고 대만 및 팔레스타인과의 외교 관계를 강화하며 특히 대만과는 민간 부문 교류를 확대함과 동시에 한국 문화가 확산하여 한국, 중국, 일본 문화가 혼합된 국가라고 대만이 국제적으로 평가받는 만큼 내부적으로 한국 문화를 올바르게 해서 널리 확대하기 위한 외교적 노력도 필요하다.

위에는 언급한 것 이외에도 중국과 인접국인 몽골도 살펴볼 필요가 있다. 몽골은 현재 부상하고 있는 국가이며 중국 내부의 내몽골 자치구에도 강한 영향력을 미치고 있으며 역사적으로 티베트와 거란, 선비를 비롯한 유목민족도 현재는 사실상 흡수시켰으며 대표적인 유목민족으로 세계의 거의 모든 유목민족에 강한 영향을 주었기에 그 네트워크를 현재도 외교에서 활용한다.

그리고 일본에도 몽골인 공동체가 깊게 형성되고 일본 사회에 영향을 주고 있어 이러한 부문에서 일본도 관심이 있고 이는 일본 내부의 몽골 외교 역량을 보여주므로 몽골의 위상은 상당히 올라가고 있다.

결론적으로 이러한 외교적 변화상에 대해서 잘 살펴보아야 하며 그 속에서 한국이 잘 대비해야 새로운 중국 굴기 시대의 외교적 성과를 얻을 수 있는 것이다.

대안적 중국어 학습 확대의 필요

근래의 중국어 학습은 중화인민공화국 주도의 교습법 위주로 이루어지고 있다. 이는 실용적인 측면에서 도움이 되는 것은 사실이지만, 유사시 중화인민공화국의 관점에 한국이 너무 깊게 침습될 위험이 있다.

따라서 중화민국의 중국어 학습법을 대안적 학습으로 확대해서 중화인민공화국 방식과 병행하고 공존하게 하여 유사시 불안함을 해소할 수 있도록 해야 한다. 특히 중화민국의 학습법 중에서 주음부호와 통용병음이 특이한 점이므로 그 부분에 대한 학습을 강화하면서 중화민국 특유의 어휘도 잘 살펴보아야 한다.

이외에도 중등 교육과 연계하여 살펴보면 대게 중등 교육에서 언어적 학습이 단편적인 어문 학습에 그치지 않고 다방면의 연계가 필요하다. 예컨대 과학중점고등학교의 경우 지정 해제 인가 이후 2년이 지나면 지정이 해제되도록 법에 정해져 있으므로 그때까지는 과학중점고등학교이다. 이러한 과학중점고가 일반 고등학교로 전환하면서 문과 교육을 늘릴 때 이러한 대안적 중국어도 하나의 학습 방안으로 제시가 가능하다.

한편 이러한 대안적 중국어 학습과 연관된 고등교육에서의 여러 아시아지역학 과목을 살펴보면 위대한지도자와그들의선택, 문화예술과감각활용, 바이오헬스인문학 등을 연계해서 볼 수 있다. 이러한 과목들은 창조성과 자유를 담은 것이며 그 교습 과정에서 원어를 사용해서 강의한다면 아시아지역학을 통해 사례 중심의 중국어 학습에도 도움을 줄 수 있다.

융합적인 동아시아 문제의 재해석

중국을 포함한 동아시아 문제를 독립적으로 재해석할 필요성이 근래에 제기된다. 대표적으로 종교의 경우 도교는 중국의 민족 종교이지만 세계적 특성이 있는 것은 자명한 사실이다. 그러나 한국의 동학, 일본의 신토가 중국의 도교와 비슷한 위상이 있으며 세계적 특성과 보편성이 있다는 것은 최근에 밝혀진 사실이다.

한편 동학은 원불교, 천도교, 대종교, 증산도, 선교 등 한국의 모든 민족종교를 포괄하며 신토도 행복의과학, 천리교 등 일본의 모든 민족종교를 일괄적이고 융합적으로 포괄한다는 것도 새롭게 알려진 사실이다.

이외에 '국제연합헌장 및 국제사법재판소규정'에 있는 적국조항도 당시의 추축국인 일본제국, 나치독일, 이탈리아왕국과 현재의 일본국, 독일연방공화국, 이탈리아공화국은 별개의 국가이며 적국 조항을 후자의 국가에 대상으로 포함할 수 없으므로 사실상 사문화된 조항으로 보는 것도 새롭게 재해석된 사실이다. 이는 과거 연구회에서 중의사도 한국에서 한의사 활동을 할 수 있도록 해야 한다는 주장처럼 창조적 연구를 통한 타 학문과의 만남에서 얻은 성과이다.

이외에 한국, 중국, 일본의 학벌주의 심각성과 특정 학교 출신이 그 국가 내부의 사법부를 독식해서 문제를 일으키는 것에 대한 획기적인 개선 필요성도 새롭게 밝혀진 사실이다. 고로 이를 해결하기 위해서는 법학전문대학원을 증설하고 자교 학부 출신의 비율을 50% 아래로 낮추어야 한다.

결론적으로 이러한 동아시아 문제를 제기함으로써 새롭게 동아시아가 독립적으로 재해석하고 해소할 수 있는 계기가 된다는 의의가 있으며 이를 창조적으로 바라보았다.

법학대학 출신이 아닌 사법시험 합격자에 관한 논의

현재는 법학전문대학원 제도로 인해 폐지되었지만, 과거 학력에 상관없이 사법시험에 합격하면 법조인이 될 수 있었다. 그렇지만 대게 사법시험 합격자는 법학대학 출신인 경우가 많고 그러한 상황에서 법학대학은 현재의 법학전문대학원 졸업 후 변호사시험에 응시하는 것처럼 체계적인 법률 교육 기관의 역할을 했다.

물론 공식적으로는 학력에 상관없이 응시할 수 있고 합격할 수 있기에 사후에 법학전문대학원처럼 체계적인 법률 교육 기관이 필요하므로 학위는 주지 않지만, 사법연수원 연수 과정을 두었다. 하지만 사법연수생은 사실상 준공무원의 지위에 있고 그 연수 과정은 실무 교육이므로 법률 교육 기관이라는 점은 절반 정도로 보아야 한다.

하지만, 이 글에서 논하는 사람 중에서 법학 관련 대학원에 진학한 경우가 있다. 특히 법무대학원의 경우 사실상 현재의 법학전문대학원과 다름이 없는 곳이므로 그 정체성에 대한 논의가 숙고하여야 한다.

그러므로 비 법학대학 출신이 사법시험에 합격하고 법무대학원에 진학하면 학부 출신 대학교보다 법무대학원 소속 대학교에 더욱 동문(同門) 정체성을 가지는 것이 일반적이며 그 법무대학원 소속 대학교의 법과대학 학부 동문에 준하는 대우와 소속감을 느끼도록 해야 할 필요성이 제기된다.

이는 법조인이라는 직업적 특수성과 사법시험이라는 제도적 특수성에서 기인한 것으로 비 법과대학 출신의 사법시험 합격자의 경우 법무대학원에 진학한다면 그 대학교의 학부 법과대학의 동문으로 보고 받아들이고 기존의 학부보다 해당 법과대학 출신으로 사실상 여기며 본인도 그 대학교 학부 동문과 동일하게 인식하고 외부적으로도 대우(待遇)하며 사회적으로도 위에서 언급한 것처럼 여겨야 이러한 상황에서 합리적 해결이 된다고 정리할 수 있다.

제 4 장

21세기 미래 지향적 아시아 고찰

경영학의 재발견

인도와 중국이 근래에 가장 관심을 가지는 학문으로 아시아 지역학이 있기에 이러한 아시아지역학의 근원인 경영학에 관해서도 탐구해야 인도와 중국의 학문적 동향에 대한 이해에 도움이 된다.

경영학은 영어 표기가 다르지만 주로 Business and Management라고 표기하는 것이 국제적 추세이며 석사 학위의 경우 MBA와 EMBA는 별개의 학위로 보며 한국어 표기도 가르게 해야 한다.

특히 국내에는 없는 석사 학위 중 연구석사로 불리는 M.Res.(Master of Research)는 경영학 석사에서는 사용하지 않고 대게 Executive Master of Business Administration으로 표기한다. 이는 Executive와 Philosophy가 학술적으로는 사실상 같은 의미로 보기 때문이다.

한편 EMBA와 M.Res. 학위는 그랑제콜에서 수여한 석사 학위와 같게 취급되며 프랑스에서는 두 학위의 학문적 위상을 상당히 존중한다. 또한 자격증 측면에서 한국어교원과 공인중개사는 경영학과 상당하게 관련된 자격증으로 본다.

이외에 학부에서 국제행정론, 국제지역학, 정치학, 친디아와 아시아지역학, 중국통상및시사, 삶의철학중국어강독, 중국어권문화, 위대한지도자와그들의선택, 문화예술과감각활용, 바이오헬스인문학은 경영학 과목으로 일반적으로 경영학의 영어 표기에서 Business and Management라고 표기하지 않고 Business Administration로 표기하는 경향을 보이는 경영학과에서 주로 전공 과목으로 사용하며 역시 경영학에 학문적 기반을 두고 있는 아시아지역학에서도 널리 애용한다.

또한 법학이 정치학의 시녀이고 사실상 법률정치학이며 정치학과 학문적으로 불가분의 관계인 것처럼 경영학과 예술경영학은 불가분의 관계이다. 이어 몽골학이 정치학의 방계 학문인 것처럼 아시아지역학은 경영학의 방계 학문이기에 대학에서는 경영학부 소재 강의동에서 강의한다.

이렇듯 경영학을 올바르게 재발견하는 것도 현재 중국의 학문적 경향과 방향성에 대해서 인식하는 데 큰 도움이 되는 것을 이해할 수 있다.

한국 고유 철학으로서의 동학

한국 사회를 구성하는 기본적 4대 철학이자 종교는 유교(북학), 기독교 및 서양철학(서학), 불교(남학), 동학이다. 이러한 철학 중에서 유일하게 우리의 고유한 것은 동학이다. 일각에서는 불교나 유교의 정통성을 강조하고 특히 유교가 한국의 것이라고 주장하지만 이는 반은 틀린 사실이다.

한국에서 불교와 유교를 발전시키고 독창적인 사상을 만든 것은 사실이지만 그 기원을 보면 외국에서 유래된 것이므로 본질까지 우리의 고유한 것이라고 할 수 없다.

또한 이러한 주장을 펴는 자들은 대개 기독교와 서양철학과의 대비로 유교와 불교를 동양철학이라는 관념으로 묶어서 주장하는 것인데 먼저 들어오면 우리 것이고 나중에 들어오면 남의 것이라고 주장하므로 그들의 주장은 끝내는 자가당착으로 귀결된다.

고로 우리의 고유한 철학인 동학에 대해 깊이 있게 탐구하고 한민족의 적통성을 올바르게 세우는 것이 중요하다. 동학의 시초는 고조선의 단군 사상에서 출발한다. 당시에는 동서양을 막론하고 철학과 종교의 분리가 완벽히 일어나지 않기에 둘이 융합된 것처럼 작동하는 경우가 대다수였다.

특히 단군 사상은 힌두교처럼 고조선의 영역 확장을 통해 토착 신앙을 흡수하는 형태로 확장했다. 이는 단군 신화에서도 그러한 모습을 엿볼 수 있다. 웅녀 자체가 곰을 숭배하는 집단을 흡수한 것이므로 당연히 그들의 신앙도 흡수된 것이다. 이를 통해서 단군 사상은 좀 더 다양한 철학으로 발전하며 앞으로 나아갔다.

이는 당시에 선교, 고선도, 신선도라고 불렀으며 중국에서는 유불선에서 선을 도교로 해석해야 하지만 일본에서는 신토(神道)로 해석해야 하며 한국에서는 선교로 해석해야 한다. 이는 단군 사상이 선교로 발전하면서 일반적으로 무당이라고 불리는 한국식 샤머니즘인 무교(巫敎)를 흡수했다.

이러한 점은 한국, 일본에서 유교, 불교와 달리 도교는 거의 찾아볼 수 없는 것을 들 수 있다. 유교와 불교는 세계적인 종교로 확장했지만, 도교는 그 내부의 중화 민족성과 토착성이 강하므로 민족 종교의 역할을 하게 된 것이다. 또한 도교는 중국에서 주로 민간 영역에서 활동한 것처럼 한국에서는 주로 선교가 민간 영역에서 활동했다. 그렇기에 통일성이 다소 약했고 부르는 명칭도 제각기 달랐고 서로 각개약진하면서 발전했다.

이후 한반도에 불교와 유교가 들어오면서 선교의 위치는 축소되었다. 불교는 고려시대의 주류적인 철학이 되었으며 유교는 조선시대의 주류적인 철학이 되었다. 반면 선교는 일부 무당이나 자연 숭배로 축소되어 민간 영역에서 존속했기에 일본의 신토나 중국의 도교보다도 더욱 위축된 것이다.

하지만 개화기에 서양 선교사를 필두로 기독교와 서양철학이 전개되면서 한반도의 철학은 격변기를 맞이한다. 조선을 지배한 유교는 이미 쇠락해 버렸고 불교는 고려 이후에 주류적인 위치에 있지 못했다. 그러므로 유교 대 비유교의 구도가 형성되었고 민간 영역에서의 선교는 동학이라는 이름을 구심점 삼아 하나의 철학으로 체계성이 강화되었다.

이 과정에서 크게 기여한 것은 최제우 선생이다. 최제우 선생은 유교와 불교를 배격하고 서양철학의 진보적 부분을 인용하여 우리 고유의 철학을 동학이라는 이름으로 집대성했다. 이 과정에서 종교적으로 체계화된 것이 현재 천도교이다.

이후 강일순, 박중빈, 나철과 같은 사람들이 증산교, 원불교, 대종교와 같은 민족종교를 창건하여 각자 동학사상을 확장하면서도 그 근간은 동학에 두었다.

다만 동학이 체계화된 역사가 다소 짧다 보니 대중에게 익숙한 불교 혹은 유교 용어를 개화기에 사용하여 불교나 유교의 다른 분파로 오해하는 경우가 많다.

특히 원불교는 사실상 불교에서 동학으로 이적한 것과 같으므로 현재는 불교로 보지 않으며 동학을 창조적으로 융합하면서 새롭게 확장한 것으로 본다.

결론적으로 개화기에서 불교, 유교와 다른 동학에 근거를 둔 민족종교가 대거 등장하면서 현재는 민족종교 모두가 동학에 근거를 둔 것이며 동학을 종교적 부분에서 유교 및 불교와 대등한 위치로 격상시켰다.

또한 모든 민족종교가 종교학적으로 동학계 민족종교이므로 그 교리가 거의 비슷한 것도 함께 확인할 수 있다. 이러한 것은 종교학으로도 검증이 되는 사항이다.

한편 개화기에 서양철학의 방법론을 도입하면서 철학과 종교의 구분이 시작되었다. 이러한 부분에서 동학은 철학적 측면에서 체계화하고자 하는 이들이 있었다. 이들은 동학을 동학 철학이라고 부르면서 한국 고유의 철학적 사조를 집대성하여 철학으로도 성공했다.

이후 군사정권 시기에 이중강단론이라는 말처럼 전통적으로는 유교라는 기득권 강단 철학에 밀리고 현대에는 서양철학에 밀리는 이중적 상태를 타파하고자 운동권을 중심으로 동학 철학이 탐독 되었다.

이들은 유물론의 진보적 방법론을 대거 도입하여 동학이 중국과 일본의 고유 철학 및 불교, 유교 철학보다 훨씬 수준 높고 과학적인 철학으로 변모시켰다.

특히 인내천 사상을 역사의 진보성은 인간이 이끄는 것으로 보면서 유물론적 입장도 반영시켰다. 이외에도 함석헌의 씨 알 사상이나 신채호의 민중중심사상도 동학을 철학적 부분에서 확대 계승하고 발전시킨 것이다.

현재의 한국은 중국, 일본과 다른 독자성에 집중하고 있다. 그런 점에서 유교의 고유 사상론도 일부 부정하고 있으며 비유교, 비불교 철학 및 종교를 동등한 수준으로 집대성해야 하는 책무가 막심하다.

그러므로 처음 동학이 주류적 위치로 등장하고 성장할 기회를 현시대에 맞았으므로 종교적 부문에서 동학을 키우고 철학적 부문에서도 동학을 키우면서 진정으로 북학, 남학, 서학과 다른 동학을 만들어야 한다.

사고는 인간을 지배하는 것처럼 동학이 유교와 불교와 달라지지 못하고 그 체계성을 확립하지 못한다면 우리는 사상적으로 타 국가에 영속될 수 있다는 사실을 인식하면서 우리 모두가 다시 한번 동학에 깊은 관심과 힘찬 지지를 적극적으로 보내야 한다.

확장 서울과 분당의 질주

일반적으로 서울이라 하면 서울특별시만 생각하는 경향이 있다. 하지만 이러한 것은 행정구역에 기인한 것으로 몹시 협소하며 비창의적이고 독재 정권에 근간을 둔 노예적 사고이다. 21세기에는 문화권과 생활권으로 도시를 규정하므로 단순히 행정구역으로 서울을 정한다는 것은 세계적으로 상당히 이상한 사고이다.

영국 런던의 경우 행정구역은 전혀 상관하지 않고 런던 문화권은 모두 런던으로 여기며 그 내부에서 행정구역에 대한 차별이 전혀 없다. 우리도 서울 문화권이면서 생활권이면 그것도 일반적인 서울특별시와 똑같은 서울로 여기는 것이 상식적인 측면에서 정당한 것이다.

특히 이러한 확장 서울은 메가 서울이 주목되면서 다시 인식되고 있다. 예를 들어 용인은 확장 서울로 서울 그 자체와 동일하다. 용인 버스 중 서울특별시로 향하는 모든 버스는 사실상 서울 버스 시스템 속에서 서울 버스와 같게 취급하는 것이 현황이며 이는 상식적인 것이다.

그리고 그 내부에서 수지구와 성남 분당구는 확장 강남권으로 인식되며 죽전동은 분당에 직접 포함되어 있다. 또한 분당구와 수지구는 재벌도 많이 거주하고 부촌이 많아 경제적 측면에서도 확장 강남권이라는 인식이 강화되고 있다.

또한 분당신도시에 수지구 죽전동이 포함되는 것은 사실이다. 위례신도시는 성남시, 하남시, 송파구에 인접해서 개발되었지만 송파구만 위례신도시라고 아무도 주장하지 않는다. 이처럼 분당구만 분당신도시가 아니라 수지구 죽전동도 분당신도시로 보는 것이 정상적이다.

아울러 이러한 확장 서울의 인식 확대에서 소 범위인 확장 강남권의 경우 확장 강남권 산하 대학은 인서울로 보는 것이 현시대의 정당한 것이며 대범위인 확장 수도권은 천안, 아산, 당진, 충주, 세종 북부(조치원권 지역)를 공식적으로 그 지리적 범위에 포함한다.

이외에 경기도 내 도시의 광역권 확대로 추진되면서 부천광역시를 추진했던 부천시도 다시 국회의원 선거구를 4개로 복귀하는 것이 추진되고 원래 계획했던 계남구 신설에 대한 여론이 달아오르면서 광역 부천권이 인식되고 있고 이에 온수동과 항동이 오히려 광역 부천권에 속하는 경향이 드러나면서 성공회대도 부천과 교류가 늘고 일각에서는 부천의 향토 대학으로 여긴다.

그러므로 이러한 지리적 범위가 이제는 행정구역이 아닌 문화권, 생활권으로 재인식되어야 하는 것을 알 수 있으며 확장 서울을 통해 그 대표 사례인 분당을 재조명하고 서울에 대해 올바른 인식도 반드시 해야 한다.

내몽골의 재발견

우리가 몽골 하면 몽골 공화국(외몽골)만 생각하지만, 흔히 내몽골이라고 불리는 남몽골도 몽골에서 차지하는 부분이 상당하다. 하지만 내몽골은 중국의 식민지가 되어 현재는 하나의 자치 지역으로 남아 있으므로 이러한 부문에서 안타까운 측면이 있다.

이러한 식민지 상태는 민족자결주의에도 어긋나고 국제적인 인권도 훼손하는 행위이다. 중국은 내몽골의 강점을 풀고 몽골 공화국에 반환해야 하며 명칭도 중국 중심적인 내몽골이 아니라 남몽골로 다시 고쳐야 하는 것이 온당하다.

또한 우리가 모두 남몽골의 독립을 지지하고 중국에 의한 남몽골인의 탄압을 반대하며 독립조직에 대한 적극적인 지원과 국제적인 연대의 장을 올바르게 열어나가야 하는 필요성도 깊게 제기된다.

영국의 학문적 위상 고찰

영국의 학문적 위상은 세계적으로 상당하며 유럽 교육의 근대적 기원은 영국이다. 또한 북유럽, 아일랜드, 구 영국 식민지의 대학은 사실상 영국 대학과 같은 것으로 여기는 것도 영국의 학문적 위상을 알 수 있다.

대표적으로 간호학에서도 영국의 위상이 상당하다. 미국의 듀크대가 세계 최고의 간호학 대학이지만 영국의 간호학 수준도 이에 못지않은 것으로 평가받는 것이 일반적이다.

교육의 기반이 되는 경제적 측면에서 정유업계 슈퍼 메이저인 에니와 토탈에너지스도 영국의 영향이 많으며 국내에서도 법조계를 중심으로 영국 변호사 자격 취득에 관한 관심이 증가하는 것도 간접적으로 영국의 학문적 위상을 위대하고 올바르게 고찰할 수 있다.

그러므로 우리는 영국의 학문적 위상을 재검토하여 새롭게 영국과의 학술 교류를 늘리고 확장하며 유학생 파견도 증대해야 하는 것이 한국의 학문 발전에도 도움이 된다.

중화권 우위 시대와 한국의 생존

중국이 성장하면서 한국이 관련한 압력에서 벗어나지 못한다. 이러한 중국의 압력을 해소하기 위해서는 다양한 생존전략을 택하여 한국의 자주성과 독립성을 담보해야 한다.

우선적으로는 중국과의 문화적 및 경제적 분리를 위해 인도와의 관계를 강화해야 한다. 인도 현지의 한국 기업 진출은 기본적으로 해야 하며 힌디어의 대입 반영과 교육 확대를 해야 하고 스포츠에서 크리켓을 활성화해야 한다.

아울러 대만과의 관계를 증진하여 중국의 이익 지역을 분산하여 한반도에 대한 중국의 관심을 줄여야 한다. 국내에서 타이완이라고 하지 말고 대만이라고 명칭을 사용하고 가오슝에도 영사관에 준하는 주타이베이대한민국대표부 가오슝사무소를 설치해야 한다.

국제적인 외교도 강화해야 한다. 미얀마, 몽골에 관한 관심을 증가하고 친인도 부족인 카친족에 관해서도 관심을 가져야 한다. 카친족은 퀘벡처럼 미얀마에서 자치권을 가지고 대외적으로 대표부를 설치할 정도로 능력이 뛰어나다.

그러므로 관심을 가질 필요가 있다. 가까운 이웃인 일본에 대해서는 독도 영유권과 과거사 문제를 해소해야 협력이 가능하므로 대마도 영유권 주장과 같은 압박 전략이 필요하다.

군사적으로는 여성 징병제를 시행하며 장기적으로는 모병제를 계획하고 교육 부문에서는 고구려, 발해의 역사를 재조명하고 발해가 고려에 흡수되었음을 확인하고 고구려와 발해가 백제가 일본에 영향을 준 수준 정도로 중국에 영향을 주었음을 재인식하여 동북공정을 타파해야 한다. 이를 통해서 국내에서 친중적 사고를 줄이고 새로운 혁신을 해야 한다.

여성 차별 해소를 위한 방안

한국어에서 언니의 높임말은 '형님'으로 사용하는 것이 일반적이다. 다른 지칭어는 높임말이 존재하지만, 언니는 형과 동일한 높임말을 사용하는 것 자체가 여성 차별적이다. 사실 제대로 된 높임말은 '오라버니'를 따서 '어너머니'라고 불러야 한다. 이러한 언어의 변화부터가 차별 해소의 시발점이다.

특히 격투기 스포츠 같은 것은 남성의 일방적 전유물이기에 여성에 대한 약자적 인식이 대중적으로 굳어지는 것에 큰 영향을 준다. 따라서 여성의 권리 해소를 위해서 여성 격투기 스포츠를 국내에서도 활성화해야 하는 필요성이 상당히 강조된다. 이는 권투나 레슬링도 해당하는 것이다.

주로 이종격투기 중심의 여성 격투기 스포츠를 일본의 사례를 참조하여 프로레슬링으로 확대하고 여성 격투를 통칭하여 부르는 캣파이트 계열 전체의 확장도 장기적으로 고려해야 한다. 이러하면 여성 차별의 해소와 페미니즘의 재정립을 통한 차별 없는 사회 실현에 큰 도움이 되므로 여성 개개인부터가 적극적으로 나서서 관심을 가지고 격투기 스포츠 참여를 실현해야 할 필요성이 제기된다.

한국 문화 변혁 방안

한국의 문화는 우수한 수준이지만 다소 아쉬운 부분이 많다. 이러한 점을 사례 중심적으로 지적하면서 다양한 발전 방안에 관해서 설명해 보고자 한다.

먼저 한국의 한류는 장르적으로 다양성을 할 필요가 있다. 대중문화의 겉과 속에서 상당한 기여를 한 원더걸스가 인도와 미국 시장을 열고 유럽 시장에 씨앗을 틘 이래 대중음악의 세계 진출은 상당한 수준으로 이루어지고 있다. 하지만 장르적으로 비음악부문도 대중음악 수준으로 다양하게 세계 진출과 예술성 향상을 도모해야 하며 음악계에서도 대중음악을 본받아서 비대중음악도 적극적으로 각성해야 한다.

스포츠 문화에서는 야구에서 지방 야구장의 활성화와 야구 경기에서 수도권 관람객 유입을 적극적으로 추진해야 하며 프로배구의 경우 남부권에 팀을 적극적으로 창설해서 중부권 중심 리그 운영의 비판점을 타파해야 한다. 이어 임업 문화의 활성화를 위해서 산림조합을 농협 수준으로 확장하고 그 명칭도 산립협동조합으로 바꾸어서 산협으로 약칭을 사용해야 한다.

교육에 있어서 성균관대학교가 제중원을 계승했다는 주장을 재검토해 보고 지방대학 활성화를 위해서 만학도 전형을 늘리며 의대가 없는 대학 학부 출신의 의전원, 한의전 진학 증대와 로스쿨이 없는 대학 학부 출신의 로스쿨 진학 증대를 꾀해서 전문직 문화의 다양성을 확보해야 한다.

이외에 로컬의 문화를 재발견해서 경기도의 위상을 확보해야 한다. 특히 임창열 전 도지사를 비롯하여 역대 경기도지사가 서울특별시장에 준하는 대권 주자급 위상을 가진 역사를 다시 한번 확인하고 카친주가 인도와 깊은 교류를 하고 종교적으로는 성공회 강세 지역인 것처럼 경기도도 지방 외교와 종교 외교를 활성화해야 한다.

아울러 지역 음식도 재조명해야 하는데 부산의 향토 음식인 기름국수는 이탈리아의 알리오 올리오 파스타와 비슷하며 소면을 삶은 뒤에 알리오 올리오 파스타를 만드는 것과 거의 동일하지만 올리브유를 들기름으로 대체하는 것을 보면서 독특함도 알 수 있다.

결론적으로 이러한 문화적 재발견과 한국 문화의 변혁을 통해서 한국의 창조적인 혁신과 미래 지향성을 통해 새로운 발전과 신시대의 창조적 적응을 이끌어가서 세계 선도 국가로 도약할 수 있을 것이다.

자주적 관점과 서양의 재인식

아시아는 제국주의 이후 서양에 대한 열등감이 상당하다. 이러한 열등감을 극복하기 위해서 많은 노력을 했으며 동양은 서양에 대비되는 개념이 아니라 독자적 개념이고 아시아지역학 학자들을 통해 인도와 몽골의 깊은 역사적 연관도 규명되었다.

하지만 서양에 의한 왜곡과 아시아에 대한 학문적 폭력은 여전하다. 예를 들어 대승불교에 대해서 하좌부불교로 부를 수 있는 것을 잘 모르는 점과 인간이 튀김을 좋아하는 것은 과거 원시시대에 곤충을 먹으면서 바삭한 식감을 즐겼다는 점이 근거가 없음에도 주장한 것과 서구에 의한 폭력인 채식이 상당한 허구성을 가지고 서구의 일방적 관점이라는 것에 있다.

이외에도 반려동물이라는 것은 허구적 개념이고 애완동물이 정당함에도 반려동물이라고 부르는 것을 강요하거나 개고기에 대해서 반대하는 것도 그러하다.

인도의 경우 인도식 민주주의가 있음에도 서구는 이를 무시하고 있다. 정작 영국 속국에 가까운 것은 인도가 아닌 중국임에도 이를 모르며 마카오와 과거 청나라, 중화민국 시기의 비영국 조차지도 사실상 영국의 세계적 영향권임에도 이것은 잘 알리지 않는다.

이외에 미국의 경우 학위 공장을 깎아내리지만, 어느 정도 고등 교육 기관으로 작동하면 그 성격을 인정해야 함에도 서구의 학술적 기득권을 놓치지 않기 위해서 그러하다. 그러므로 이를 해소하기 위해서는 박사, 석사 학위 취득을 쉽게 하고 다양한 학위를 존중하게 해야 하며 펜실베이니아대학교 LPS와 같은 특수한 학사 학위 과정도 동등한 동문으로 인정해야 한다.

국내적으로 이러한 서양 중심적 사고를 타파하기 위해서는 서울대 일극주의를 해소하기 위해서 성균관대를 재조명하고 유학동양학과에서 인류학에 관한 상당한 연구 능력도 있음을 알아야 한다. 또한 동명대가 불교 미션스쿨에 준하는 불교학 연구 및 교육 능력이 있는 것도 살펴보면 좋다. 아울러 대우그룹의 역사도 상당 부분 살펴보고 국내에서 경영학과가 중국의 발전상을 다루고 관련 과목으로 삶과철학중국어강독, 중국통상및전통문화, 중국어권문화, 친디아와 아시아지역학이 개설된 것처럼 다른 학문에서도 창조적인 접근이 필요함을 인식해야 한다.

이외에 신과대학 산하 신학과는 사실상 종교학과이며 종교중립적인 것을 인식하는 것도 아시아지역학적인 이해를 통해 서양의 관점에서 국내적으로 타파하는 방법의 하나이다.

신화적으로는 북유럽신화, 바이킹, 스칸디나비아권에 핀란드도 들어가는 것을 다시 인지하고 공학에서는 배터리 연구에 투자하여 휴대전화 배터리 지속시간도 늘려야 함을 알 수 있다. 이외에 의학에서는 시각장애, 청각장애, 척수장애에 관한 연구를 확대하여 비장애인처럼 생활하도록 해야 하며 인간 치아도 일반적인 뼈처럼 재생될 수 있도록 관련 연구도 확대해야 한다.

이외에도 의대가 있는 대학의 동물보건학과는 사실상 수의대와 비슷한 역할을 하고 최소한 지방거점국립대에는 모두

수의과대학을 설치해야 한다. 또한 법학전문대학원(로스쿨)이 없으면서 우수한 법학 연구 실력이 있는 대학은 사실상 로스쿨에 준하는 법학 연구 능력을 갖춘 것으로 보면서 로스쿨이 있는 대학과 동등한 취급을 해줘야 한다는 것과 그러한 대학이 가진 법무대학원은 일상에서 그 명칭을 법학전문대학원으로 부를 수 있는 것이다. 고로 이러한 것은 기본적으로 엘리트주의를 배격하고 새로운 평등과 그 연구의 발전적 경향성 속에서 온 국민이 알 수 있다.

또한 출판에 있어 POD 출판도 일반 출판과 동등하게 하고 도서관에서도 희망 도서의 차별을 두지 않아야 마이너한 출판이 확대되어 문화적 다양성이 증대하고 비서양적 관점의 문화도 다양하게 누릴 수 있음을 창조적으로 알 수 있다.

결론적으로 이러한 사례들을 재인식하고 분석함을 통해서 서양에 대한 자주적인 관점을 가지고 다양한 문화를 융성시켜서 한국이 창조적으로 발전하고 아시아에 많은 공헌과 혁신을 할 수 있음을 알 수 있다.

새로운 시대에 영원한 망각에서 깨어나다

이제 서방에 의한 모든 형태의 독점이 깨어지고 아시아가 대두되며 과거의 어두움과 폭력은 영원한 망각에 갇혔다. 하지만 그 교훈은 영원히 기억하면서 우리는 현재 앞으로 나아가고 있다. 우리가 살아가고 있는 현시대에 인류는 지구를 완전히 지배하고 있다. 지리적 한계를 뛰어넘어 구석구석을 개척하고, 우주를 개척하고자 나아가고 있다. 이미 달은 1969년에 인류가 방문하였다.

인류는 과학을 극한으로 쌓아 올려 인공지능의 발달을 이끌었다. 인공지능은 이제 단순히 기계의 지능을 뛰어넘어 인간의 지능을 모방하는 수준에 이르렀다. 인공지능은 이미 우리 삶의 많은 부분에 깊숙이 들어와 있으며, 앞으로 더욱더 우리 삶을 변화시킬 것이다. 기술의 발전은 가속화되고 있다. 기술은 기술을 발전시키고, '기술적 특이점'과 '카르다쇼프 1단계 문명'을 향해 나아가고 있다.

이러한 기술적 특이점은 기술이 인간의 통제력을 넘어서 인간과 사회를 근본적으로 변화시킬 수 있는 지점이다. 인류는 언제나 새로운 것을 향해 지평선 너머로 항해하는 여행자이자 탐험가이다. 15만 년 동안 앞으로 나아온 인류는 이제 이 장에서 현재를 만난다.

앞으로 어떠한 역경과 시련이 존재하는지 아무도 알 수 없다. 그러나 인간은 지구에 등장한 순간부터 도전의 연속을 극복하고 시련을 넘어서 동물에서 지성체로 진화했다. 이제 그 승리의 역사를 뒤로하고 새로운 지혜를 얻으며 새로운 경계를 넘을 것이다.

인류의 다음 이야기는 우리가 하기 나름이다. 아시아적인 가치도 우리가 키운다면 서방에 준하는 수준으로 발전시킬 수 있다. 예를 들어 의학에서도 중의학이 티베트 의학을 흡수한 것처럼 한의학도 인도 아유르베다 의학, 이슬람 의학, 미국 인디언(원주민) 의학, 몽골 전통 의학, 이란 의학, 미얀마 전통 의학, 자바(자무) 의학, 아로마테라피 의학과 같은 여러 대안적 의학을 융합하여 한의학을 발전시킬 수도 있다. 이외에도 국내 외국인 유학생의 출신 국가를 다양화하고 한국인도 미국 이외에 영국과 같이 유학생 파견 국가를 다양화하여 한국 학문의 창조적 다양성을 추구하는 것도 한국의 가치를 높이고 나아가 아시아의 가치도 높인다. 그리고 그것은 현 시대의 다양한 고민 속에서 필수적이다.

외교 전략의 전환과 대한민국

중국이 대국적 굴기를 강화하는 현시대에 한국은 외교적으로 대안을 마련할 필요가 있다. 장기적으로는 인도를 비롯한 제3세력을 끌어들이는 것이 필요하며 단기적으로는 문화적 부문에서 중화권 문화가 중화인민공화국이 오롯이 대표하는 것이 아닌 중화민국도 일정 부분 그 지분이 있음을 명시하는 것도 필요하다.

이외에 서방과의 외교 부문에서 네덜란드어 연합, 포르투갈어 사용국 공동체에 옵서버로 가입해야 한다. 또한 중국에서도 상당한 관심을 가지고 근래 유럽에서 떠오르는 국가인 네덜란드를 주목하여 외교관계를 증대할 필요가 있다. 네덜란드는 벨기에와 룩셈부르크에서 강한 영향을 가지며 독일에서도 그 사용자 그룹이 존재할 정도이다. 특히 룩셈부르크에서는 근래에 네덜란드어 배우기에 열풍이 심하며 벨기에는 네덜란드어의 영향력이 프랑스어, 독일어 등을 압도한다는 것도 알 수 있다.

한편 외교를 바탕으로 한 혁신적 세계 재인식 부문을 살펴보면 동아시아 문화를 강하게 받는 베트남이 동남아시아 지도국이 되고 러시아가 다시 강성해져서 구 동구권에 강력한 문화적 영향을 미치는 점과 독일이 북유럽에 미치는 언어적 영향력, 아랍어가 아랍을 넘어서 이란과 터키에도 강한 문화적 영향력을 주는 것과 같이 시대적 융합과 혁신에서 추출된 사고가 변혁을 이끌고 있다. 국내에서도 경기도 용인시로 조선뿐만 아니라 일본제국도 천도하고자 했던 역사적 사실의 재발굴 등 동아시아 문제는 시대적 접점이 다양한 혁신적 연구 성과를 통해 의외의 부분에서 드러나고 있다.

이외에도 외교적 부문을 다시 깊게 살펴보면 시리아와 수교를 하고 소말릴란드, 북키프로스, 서사하라, 부건빌, 카친[4]과 같은 미수교국에 대표부를 설치하고 대만 및 팔레스타인과의 외교관계를 강화하며 특히 대만과는 민간 부문 교류를 확대함과 동시에 한국 문화가 확산하여 한국, 중국, 일본 문화가 혼합된 국가라고 대만이 국제적으로 평가받는 만큼 내

---

4) Kachin Independence Organisation, 미얀마(버마) 제1의 소수민족으로 인구가 상당하며 현재는 미얀마 민주화 운동에 전념하고 있다.

부에서 한국 문화를 확대하기 위한 외교적 노력도 필요하다.

또한 외교와 문화가 접목된 형태로 율리우스력을 사용하여 정교회는 1월 7일을 크리스마스로 기리는 것에 대해서 정부가 공식적으로 긍정적 방향을 통해 인정하고 이날에 공식 성명을 내고 크리스마스 분위기를 민간에서 내보도록 하는 것과 크리스마스가 비종교인의 행사이기도 하므로 두 번째 크리스마스 형태로 1월 7일 크리스마스의 문화적 행사를 대중이 즐기도록 하는 방안도 고려할 필요가 있다.

위에는 언급한 것 이외에도 중국과 인접국인 몽골도 살펴볼 필요가 있다. 몽골은 현재 부상하고 있는 국가이며 중국 내부의 내몽골 자치구에도 강한 영향력을 미치고 있으며 역사적으로 티베트, 거란, 선비를 비롯한 유목민족도 현재는 사실상 흡수시켰으며 대표적인 유목민족으로 세계의 거의 모든 유목민족에 강한 영향을 주었기에 그 네트워크를 현재도 외교에서 활용한다. 그리고 일본에도 몽골인 공동체가 깊게 형성되고 일본 사회에 영향을 주고 있어 이러한 부문에서 일본도 관심이 있고 이는 일본 내부의 몽골 외교 역량을 보여주므로 몽골의 위상은 상당히 올라가고 있다. 결론적으로 이러한 사례를 보면서 외교적 변화상에 대해서 잘 살펴보아야 하며 그 속에서 한국이 잘 대비해야 중국 굴기 시대에 외교적 성과를 얻을 수 있는 것이다. 고로 이러한 것은 다름 다움적 사고를 바탕으로 이어가야 한다.

에스페란토와 대안적 중국어

영어 우위에서 반대하여 에스페란토를 주장하는 그 정신에 대해서 고찰하면 한국의 중국어 학습 현황에서 우려할 점을 찾아볼 수 있다. 근래 한국에서 중국어 학습은 중화인민공화국 주도의 교습법 위주로 이루어지고 있다. 이는 실용적인 측면에서 도움이 되는 것은 사실이지만 유사시 중화인민공화국의 관점에 너무 깊게 침습될 위험이 있다. 따라서 중화민국의 중국어 학습법을 대안적 학습으로 확대해서 중화인민공화국 방식과 병행하고 공존하게 하여 유사시 불안함을 해소할 수 있도록 해야 한다. 고로 중화민국의 학습법 중에서 주음부호와 통용병음이 특이한 점이므로 그 부분에 대한 학습을 하면서 중화민국 특유의 어휘도 살펴봐야 한다.

이외에도 중등 교육과 연계하여 살펴보면 대게 중등교육에서 언어적 학습이 단편적인 어문 학습에 그치지 않고 다방면의 연계가 필요하다. 예컨대 과학중점고등학교의 경우 지정 해제 인가 이후 2년이 지나면 지정이 해제되도록 법에 정해져 있으므로 그때까지는 과학중점고등학교이다. 이러한 과학중점고가 일반 고등학교로 전환하면서 문과 교육을 늘릴 때 이러한 대안적 학습 방안으로 제시할 수 있다.

한편 이러한 점들을 교육적 측면과 기능적 측면에서 모두 융합하고 이를 바탕으로 합리적인 관점을 주지하면서 창조적이고 혁신적으로 확장하여 학문적으로 아시아지역학을 바라보면 일반적인 법학과 외국어로서의 한국어학이 아시아지역학에 사실상 하부적 학문으로 기능하고 외국어로서의 한국어학은 국제문화연구학과 같은 것으로 기능하는 것도 살펴볼 필요가 있다.

또한 펜실베이니아대학교의 정식 단과대학이자 다른 단과대학과 동등하고 유펜의 정식 동문으로 인정받는 자유 및 전문연구대학(College of Liberal and Professional Studies)[5]에서 제공하는 학사 학위[6]의 경우 법학과 외국어로서의 한

---

5) 약칭으로는 LPS를 쓰며 오프라인 학위 이외에도 원격 교육 학위도 정식으로 펜실베이니아대학교 동문으로 취급하며 국내에서 분교의 반쪽 동문 취급과 다른 완전한 본교 동문으로 보며 이를 부정하면 고발을 당할 정도로 엄정하고 수준 높은 학위이다. 이는 펜실베이니아대학 산하 단과대에서 가장 취득하기 어려운 학사 학위이기 때문이며 원격 교육은 그 난도가 더욱 높다.

6) 영어로는 Bachelor of Applied Arts and Sciences라고 표기하며 미국을 비롯하여 국제적으로 해당 학위는 실용적이면서도 상당히 전문성이 높은 학사 학위로 높게 취급받는다.

국어학 등을 사실상 포괄하는 형태로 융합적 학문 연구를 제공하는 편이므로 이러한 것을 대안적 중국어 학습 영역에서도 응용하는 것도 고려할 수 있다. 결론적으로 이러한 아시아지역학의 교육 성과의 기술을 융합하여 사례 중심의 중국어 학습에도 올바르게 도움을 줄 수 있다.

동아시아 문제의 합리적인 재해석

중국을 포함한 동아시아 문제를 독립적으로 재해석할 필요성이 근래에 제기된다. 대표적으로 종교의 경우 도교는 중국의 민족 종교이지만 일부 세계적 특성이 있는 것은 자명한 사실이다. 그러나 한국의 동학, 일본의 신토가 중국의 도교와 비슷한 위상이 있으며 세계적 특성과 보편성이 있다는 것은 최근에 밝혀진 사실이다.

한편 동학은 원불교, 천도교, 대종교, 증산도, 선교 등 한국의 모든 민족종교를 포괄하며 신토도 행복의과학, 천리교 등 일본의 모든 민족종교를 포괄한다는 것도 새롭게 알려진 사실이다. 동학의 제기를 통해서 이를 학문적 영역에서 한국 문제로 가져와서 검토해 보면 우리는 보통 빨간색과 파란색이 대비된다고 생각하지만, 한국 역사에서는 남색과 초록색이 대비된다고 본다. 이러한 것처럼 한국 사회는 다양한 변화 속에서 과거의 기성적 사고에서 탈피하여 다양한 사고적 변화를 겪고 있으면 이는 학문 분야에서도 마찬가지이다.

통상적으로 유학을 학부에서 전문적으로 다루고 관련 학과가 개설된 대학의 경우 유학 연구의 영향으로 범 인문학이 강한 것을 넘어 범 사회과학도 세계적인 수준으로 평가하는 것이 중론이다. 또한 성균관대학교의 경우 기초 자연과학이 상당히 강하며 생명과학과와 융합생명공학과에서 연구하는 치의학, 수의학, 한의학 연구 실력은 세계적인 수준으로 본다. 이러한 점에서 학과의 특성에 따른 학문적 접근과 그 경우가 한국 사회의 과거와 현재에 대해서 조명하는 것에 중요하며 위에서 언급한 것이 하나의 사례로 들 수 있다.

이러한 천착 이외에 국제적으로 다시 살펴보자면 '국제연합 헌장 및 국제사법재판소규정'에 있는 적국 조항도 당시의 추축국인 일본제국, 나치독일, 이탈리아왕국과 현재의 일본국, 독일연방공화국, 이탈리아공화국은 별개의 국가이며 적국 조항을 후자의 국가에 대상으로 포함할 수 없으므로 사실상 사문화된 조항으로 보는 것도 새롭게 재해석 된 사실이다. 또한 동아시아와 인접한 북아시아를 가진 러시아의 경우 드미트리 메드베데프 대통령의 집권기는 사실상 의원내각제로 운영되었다. 이는 총리였던 블라디미르 푸틴이 사실상 행정

수반으로 활동했고 당시 여당인 통합 러시아의 대표도 맡고 있었으므로 서구의 의원내각제랑 다를 바가 없다.

이외에 한국, 중국, 일본의 학벌주의 심각성과 특정 학교 출신이 그 국가 내부의 사법부를 독식해서 문제를 일으키는 것에 대한 획기적인 개선 필요성도 새롭게 밝혀진 사실이다. 특히 한국의 경우 서울대학교와 경쟁할 수 있는 대학의 육성이 필요하고 서울대의 모든 영역에서의 독식을 타파하고 서울대 학생 스스로 겸손함과 개방적 의식을 학교 내외에서 가질 필요가 있다고 하였으며 이외에도 성균관대학교의 민족적 역사성과 학문적 저력을 다시 조명하며 서울대와 성균관대가 라이벌이 되어야 한다는 주장도 있다.

결론적으로 학문적 사례를 추가로 참고하면 근래에 아시아 지역학이 사실상 인도학이라고 불릴 정도로 인도와 관계가 깊어진다는 것도 조명되면서 아시아지역학이 법학과 외국어로서의 한국어학도 상당히 깊게 포괄한다는 점도 학술적으로 조명되었다. 미시적으로는 대학교 인근에 있는 공공도서관이 해당 대학과 거리상으로 가까우면서 관련 대학 자료를 가지고 협력하면 사실상 해당 대학의 제2의 중앙도서관으로 기능한다고 보아야 한다는 주장이 강조되고 있다. 고로 이러한 것에서 여러 형태를 통해 다양하게 혁신적으로 동아시아 문제를 제기함으로써 새롭게 동아시아가 독립적으로 재해석하고 해소할 수 있는 계기가 된다는 의의가 있다.

인도와 함께 현대 중국의 탄생을 살펴보기

19세기 중엽, 유럽에서는 중국산 물품이 유행하였다. 하지만 이는 유럽과 중국의 무역 적자를 초래했다. 유럽 열강은 이러한 무역 적자를 해소하기 위해 중국에 인도산 물품을 팔고자 했다. 그러나 중국은 자국 물품에 비해 품질이 떨어지는 인도산 물품에 별다른 관심을 보이지 않았다. 이에 유럽 열강은 아편을 통해 중국을 침탈하기로 결심했다. 아편은 중독성이 강한 마약으로 유럽 열강은 중국에 아편을 대량으로 유통했고 금세 중국 전역에서 유행했다. 또한 많은 중국인이 아편 중독자가 되었다. 이러한 아편을 통해 유럽 열강은 중국인들에게서 막대한 은을 갈취할 수 있었다. 이는 상당히 부도덕하지만 당시에는 아무도 따지는 이가 없었다.

중국 정부는 아편의 유통을 막기 위해 노력했지만, 전쟁을 불사한 유럽 열강의 강압적인 태도에 굴복할 수밖에 없었다. 결국 중국은 아편전쟁에서 패배했고, 난징 조약을 체결하여 홍콩을 영국에 할양하고, 뒤이어 마카오도 포르투갈에 내어 주었다. 이외에도 광저우 등 중국의 여러 지역을 조차지로 내주었다. 이후 유럽 열강은 중국을 더욱더 침탈해 나갔다. 그러나 중국은 강한 혼란에 빠져 서구의 침탈에 대해 제대로 된 대응을 거의 하지 못했다.

한편으로는 현재도 중국의 홍콩이 사실상 영국령으로 일각에서 부를 정도로 영국을 필두로 한 서구의 영향력이 강하고 서방의 장관(長官)[7] 표기법을 수용하는 등 중국이 서방 의존적인 부분도 있지만 그럼에도 그 위상은 일각의 폄하를 무시하듯 날로 높아지고 있다.

이러한 면에서 중국의 불편한 부상은 세계 질서에 큰 변화를 불러올 것으로 전망된다. 이러한 중국의 비상을 우리는 주의 깊게 살펴볼 필요가 있으며 21세기 초강대국이 된 중국의 정세를 민감하게 파악할 필요성[8]이 요구되며 이러한

---

7) 아르헨티나의 Jefe de Gabinete de Ministros de la Nación Argentina는 내각대표장관으로 번역해야 하며 방글라데시의 Minister of State는 주로 국무회의에는 참여하지 못하고 장관이 지시한 사항을 처리하는 장관이지만 차관보다는 높고 일반적인 부장관과는 다르므로 국정관으로 번역하는 것이 올바르다고 본다. 이러한 번역을 중국도 인용하는 편이다.

8) 중국이 석사 학위까지 요구하는 것처럼 한국도 대학원 학위 취득자를 늘리기 위해 영국처럼 석사와 박사 취득 기간을 단축하고 다양한 학위를 인정하며 대학원 코스웍 이수 후에도 학위를 주지 않고 시간을 끄는 교수를 강력히 제재하며 대학원 입학 정원을 늘리고 문턱을 낮춰야 한다는 시대적 요구가 한국 사회에서도 강하게 제기되고 있으며 이것이 저출산 해소에도 도움이 된다.

과정에서 중국을 견제할 수 있는 인도와 항상 함께해야 하는 것을 명심해야 한다.

평화학을 바라보다

아시아지역학을 공부하다 보면 경영학적 관점에서 아시아를 바라보면서 아시아가 가진 고유의 정체성을 찾아나가는 지난한 과정을 거치게 된다. 이 과정에서 서양과 다른 아시아의 독특한 가치를 찾으면서도 그것이 협소한 지역학이나 인문학에 국한되지 않고 모든 학문 영역에서 아시아의 독자적 기능을 찾아내게 된다.

하지만 이러한 연구는 결과적으로 폭력에 의한 고통스러운 과거 역사를 반추하면서 몹시 괴로운 부분도 샅샅이 살펴봐야 한다는 점에서 상당한 어려움을 받을 수밖에 없다.

그러나 평화학을 통해 국내에서도 일본의 부라쿠민 차별이 알려지고 이들의 차별 방지와 지위 회복에 평화학이 크게 이바지하였다. 또한 국내에서는 다양한 지역에서 관심을 가지는 역사가 있었지만, 일반적으로는 지방보다는 수도권이 강했고 그 중에서도 분당권[9]을 중심으로 관련 관심이 늘어나는 것도 긍정적이다. 고로 이러한 점을 두루 고려하면 평화학은 사회과학이 아니라 응용적인 인문학으로 보는 것이 일반적이다.

9) 분당권은 '하늘 아래 분당'이라는 말처럼 서울보다 소득수준이 높고 집값이 상당한 지역이다. 대게 성남시 분당구와 경기도 용인시 수지구 죽전동을 분당신도시(舊분당)으로 보고 경기도 용인시 수지구(죽전동 제외), 경기도 용인시 기흥구, 경기도 수원시 영통구 광교신도시 일대는 신분당(新분당)으로 불리면서 분당권은 넓어지고 있다.

한반도 지역 구분과 인문적 고찰

우리가 살고 있는 한반도의 지역을 구분하는 다양한 방법을 이해하고 이를 삶에 접목해 보는 것은 상당히 유익한 일이며 그 역사에 대해서 고찰하는 것도 인도와 중국이 대립하는 현시대에 몹시 유용할 것이다.

한반도의 지방 구분을 살펴보면 함경도는 관북, 평안도는 관서, 황해도는 관남(해서), 강원도는 관동, 충청도는 호서, 경상도는 영남, 전라도는 호남으로 나눈다. 이러한 단어에서 영동과 영서 그리고 영남이 가르치는 영은 다르다. 영동과 영서에서는 대관령이지만 영남의 경우 조령을 의미하므로 상호 다르다.

또한 충청도의 경우 기호지방으로 경기도와 엮이면서 사실상 역사적으로 준수도권 취급을 받았기에 지명으로 상징하는 의미가 많다. 예를 들어 영남과 대비되는 영북, 호남과 대비되는 호북으로 불리기도 했다. 황해도는 일각에서 해서로 불리지만 이는 극히 일부이고 관남으로 부르는 것이 맞으며 해서라는 한자 뜻에서 이미 관남을 내포하고 있다. 또한 이는 충청도도 호서라고 불리지만 이는 호남과 다르며 영북과 호북이라고 불리는 것을 함께 일컫는 것으로 호서의 '서'에 영북의 '영'이라는 의미가 담긴 것으로 해석해야 해서 호영이라고 부를 수도 있다.

한편 이러한 지역 구분의 틀로 개별 지역의 영향력을 살펴보면 포항의 경우 영천, 청도, 경산, 영덕, 청송, 울릉, 울진, 영양을 영향권으로 두고 있으며 대전은 금산, 논산, 계룡, 공주, 영동, 옥천을 영향권으로 두고 있다. 이외에 부산의 경우 전북에 상당한 영향력을 미치고 있다.

역사적으로 한반도를 살펴보면 변한이 마한과 진한의 영향권 안에 있었다는 점과 세계사적으로 몽골과 미얀마가 교류가 활발하고 몽골어의 영향이 버마어에 상당 부분 미친 것도 들 수 있다.

이외에 제주도의 경우 육지에서 지리적으로 고립되어 한국어와 비슷하지만, 다른 제주어를 형성했으며 이러한 단어는 몽골어, 오키나와어의 영향을 많이 받았다. 또한 여름을 카리나라고 하거나 신문을 일보라고 부르는 것도 그러하다. 하지만 근대에 들어 한국어의 영향력으로 제주어의 언어적 다양성이 부족해지자 새로운 신조어를 만들거나 한국어의 타사투리를 참고하거나 인공어 우니시를 흡수하는 형태로 제주어의 질적 다양성을 증진하고자 노력하고 있다. 따라서 이러한 제주어 사례를 통해서도 다양한 지리가 문화에 미친 영향을 포괄적으로 알 수 있는 셈이다.

작은 연구의 융합적 정리

아래의 글은 본 연구회의 작은 연구를 모아 정리한 것이다. 대개 역사 속에서 몽골과 인도는 깊은 관계가 있다고 하며 용인시는 천안시에 강한 영향을 주고 있고 용인권은 용인시에 천안시, 안성시, 평택시, 아산시, 세종특별자치시 북부권(소정면, 전의면, 전동면, 조치원읍)을 포함한다. 아울러 세종특별자치시, 충주시, 원주시도 수도권으로 보아야 하며 해당 소재 대학이 서울에 본교가 있는 분교라면 그 교육 수준을 향상해서 이원화캠퍼스로 전환하는 것이 향후 국가적 교육 발전에 있어 큰 도움이 된다고 할 수 있다.

국내에서 진보 최고 거두는 조승수 전 의원이며 조 의원이 한국 사회의 평등 문화 향상에 기여한 바는 몹시 크다. 아울러 이러한 평등적 측면에서 QWER처럼 아이돌 데뷔에 실패했지만 다시 다양한 형태로 대중에게 선보일 수 있는 기회를 제공해야 문화 융성에도 도움이 된다. 아울러 과학기술대학에서 인문사회교양학부는 로스쿨 진학을 위한 법학 공부를 비롯하여 모든 법학 교육과 연구를 수행하므로 사실상의 법과대학으로 봐야 한다는 것이 중론이다. 이어 벤처기업은 영어에서 유래한 단어이지만 영어의 뜻과 달리 'Startup'의 한국어 번역명이자 일종의 외래어로 보아야 하므로 한국어로 보는 것이 어법적으로 옳다. 또한 금융투자세는 국내 수식시장과 경제 상황을 악화시킬 수 있어 도입을 폐기해야 하며 저탄소 녹색성장을 위해 교통 벽지 지역의 도시철도 도입을 적극 추진해야 한다. 이러한 예로는 부산의 경우 정관선과 영도선이 있다. 그리고 사회적으로 분교 차별을 적극적으로 철폐해야 해야 더욱 높은 수준으로 경제적 성장을 한국이 추진할 수 있다고 밝혀졌다.

한편 역사를 살펴보면 제10대 대통령 선거는 형식적으로는 간선제이지만 당시 헌법상 직선제 개헌이 불가능하고 범국민적 여론이 최규하 권한대행을 대통령으로 선출한 뒤에 정국을 안정시키고 직선제 개헌을 하고자 하는 것이 압도적으로 우세했으며 이는 사실상의 국민 직선적 여론 반영 행위이다. 또한 선거 과정에서 다른 통일주체국민회의에 의한 간선제 대선과 달리 모든 정보를 투명하게 공개하고 대의원의 무효표도 84표로 가장 많았고 국제적으로도 유일하게 지지를 받았으므로 사실상의 직선제 대통령 선거로 보는 것이 여러 방면에서 매우 합리적이다.

근래 대만은 동아시아보다 동남아시아에 가까워지고 있으며 동남아시아 문화를 흡수하고 있다. 베트남, 말레이시아, 인도네시아, 캄보디아, 라오스, 태국, 미얀마, 동티모르에 강한 영향력을 행사하며 관련 국민이 대만으로 이민을 많이 가는 편이다. 아울러 베트남 공화국(남베트남)의 문화를 직통으로 편입하는 등 멸망한 국가의 문화를 많이 흡수하였다. 그리고 이러한 동아시아에서 공자탄신일이라고 쓰는 것은 유교적이지만 공부자탄강일은 중립적인 명칭이며 유교적이지 않고 중립적 관점에서 공자 선생을 하나의 학문적으로 우수한 선배 학자로 바라보는 일종의 스승의 날의 개념이며 이러한 역사적 관점에서 발해 왕조를 기리는 제사도 국가적으로 할 필요가 있다는 강력한 국내외의 혁신적인 주장이 있다.

마지막으로 바이오헬스인문학은 인도와 상당히 관련이 깊은 과목이며 그 명칭은 처음만나는인도, 인도개관, 인도인은누구인가?, 인도비즈니스입문으로 표기하기도 한다는 제언을 여러 방면에서 알 수 있었다.

동성결혼에 대한 헌법적 해석

전 세계적으로 동성결혼 허용이 늘어나고 있고 아시아에서도 대만, 태국이 합법화했으며 네팔은 대법원이 합법화를 권고하는 등 이에 대한 법률적 논의가 활발해지고 있어 관련 논의가 필요한 상황이다.

대개 한국의 경우 동성결혼에 대해서 헌법으로 금지하고 있는가에 대한 것이 주된 논쟁이다. 대한민국 헌법 제36조 1항은 '혼인과 가족생활은 개인의 존엄과 양성의 평등을 기초로 성립되고 유지되어야 하며, 국가는 이를 보장한다'라고 명시되어 있다.

이를 근거로 일각에서는 헌법이 동성결혼을 금지한다고 보지만 이는 엉터리 해석이다. 동성결혼을 금지하려면 헌법에 '국가에서 인정하는 혼인은 다른 성별 간의 혼인만 그러하다'라고 표기해야 한다.

해당 조항은 두 당사자 간 혼인과 그 생활에서 평등하게 하라는 뜻이지 남자와 여자가 결혼하는 것만 인정하는 것은 아니다. 또한 원문에는 한자로는 兩性으로 표기되어 있는데 이것은 두 사람이지 남성과 여성으로 해석해서는 안 된다.

이는 오히려 3인 이상 결혼하는 것을 금지한 것으로 해석하는 것이 바람직하다. 또한 이를 명확히 하기 위해서 표준국어대사전에 양성에 대한 해석을 한자 원어의 뜻을 존중하여 '성별을 가진 인간 두 명을 아울러 일컫는 말.'이라는 의미를 추가로 기재해야 한다.

법률상 동성결혼 합법화를 하는 형태로 민법의 조항을 개정하는 것과 별개로 헌법에서는 동성결혼에 대한 금지나 찬성이 없고 이와 관련한 언급이 없는 것으로 봐야지 이를 동성결혼 금지로 보는 것은 그 법률을 임의로 유추하여 일방의 주장에 유리하게 해석하는 것이다.

따라서 우리 헌법에서는 동성결혼을 금지하고 있지 않으므로 국회의 법률 제정에 따라 동성결혼을 합법화할 수 있는 것으로 해석하는 것이 법학에서 가장 올바른 해석이다.

민주화 이후 영부인과 자녀들의 영향력 고찰

한국은 1987년 민주화가 되었지만, 실질적으로는 1993년 문민정부가 탄생한 시기부터 실질적 민주화가 된 것으로 볼 수 있다. 이러한 민주화는 폐쇄적인 이너서클이 사실상 힘을 잃어버림으로써 대통령 직계가족의 영향력이 공식적으로 커지는 계기가 되었다.

특히 처음 이러한 실질적 민주화가 된 정부인 문민정부는 더욱 그 경향이 강하여 손명순 여상의 경우 영부인 중에서 3위 안에 드는 영향력과 인지도를 발휘했으며 두 아들의 경우 국회의원을 역임한 적은 없지만 국회의원의 준하는 영향력을 행사한 것이므로 사실상 명예 국회의원이다.

이는 과거 하나회와 같은 독재에 기생하는 오랜 이너서클이 사라지기에 직계가족의 역할이 더욱 중요해진 것에 기인한 것으로 민주화가 되는 국가들은 이러한 경향이 대다수 있었고 처음 실질적 민주화 정부인 문민정부의 경우 그러한 직계가족의 힘이 더욱 강하고 가장 강력했다고 볼 수 있다.

따라서 직계가족이 사실상 가진 권력에 대해서 실체화하고 그들이 합법적으로 행사할 수 있도록 사회적 역할과 지위를 명확하게 해서 불필요한 섀도 캐비닛에 기인한 오해가 없도록 제도화할 필요가 있다.

위헌 정당 해산 이후 승계 정당 창설에 관한 기준

정당은 정치 결사체이고 위헌 정당으로 해산되어도 그 조직은 있으므로 승계 정당인지 판별하는 기준이 중요하다. 해당 정당 기존 구성원이 무조건 창당하는 것을 금지하는 것은 결사의 자유를 침해하므로 합법적인 범위 안으로 개혁하여 새로 정당을 창당하는 것은 오히려 민주국가에서 극단 세력을 완화하는 것이므로 권장해야 한다.

예를 들어 통합진보당 해산에서 문제가 되었던 진보적 민주주의는 일반적인 진보적 민주주의(Progressive democracy)가 아니라 북한식 파시즘 독재 체제에 가까운 것으로 공산주의적 가치도 담고 있지 않은 전근대적인 것이다.

이러한 핵심 사상과 당내에서 문제가 된 인사와 집단이 새로 창설된 정당에서 모두 배제되면 그 정당은 기존 위헌 정당으로 해산된 정당의 대체 정당이라고 볼 수 없으며 그 정당과 기존 위헌 정당의 관계는 부정해야 한다.

또한 이러한 과정에서 명칭이 유사한 것으로 트집을 잡는 것은 어불성설이며 창당 과정에서 연합 형태로 개편하고 여러 번 변화를 시도한 것은 그 내부적으로도 기존 위헌 해산 정당과 선을 그은 행위이므로 더욱 그것을 분리해야 한다.

아울러 위헌 정당 해산 과정에서 선출직 공직자 중에서 그 직위를 박탈당해도 온건파이고 개혁을 시도하며 오랜 기간 선출직 공직에 당선되지 못하며 자숙의 시간을 가졌다면 그가 당직을 맡았다고 해서 승계된 정당이라고 주장하는 것도 부당하다.

정당은 기본적으로 법인에 가까운 대상이기에 위헌 정당의 해산 효력은 그 정당과 특수한 소수 구성원에게 국한해야 한다. 이는 특히 한국은 대중 정당을 표방하므로 당원 수가 많기에 더욱 조심할 필요가 있다. 고로 해산된 정당의 당적을 가진 사람이 새로운 정당에 많이 있고 일부 당직자가 있었다고 해서 그것이 승계된 정당이라고 무조건 주장하는 것은 몹시 일방적이고 부당한 주장이라고 볼 수 있다.

내란죄의 처벌에 관하여

대게 성공한 쿠데타는 처벌할 수 없다고 보지만 12.12. 군사 반란을 처벌한 예에서 보듯 성공한 쿠데타도 헌정 질서가 민주주의로 복구되면 처벌이 가능하며 그 복구 시점부터 공소시효가 적용된 것으로 보아야 한다.

또한 쿠데타와 내란죄는 모든 국민의 주권을 강탈하고 위협하는 행위로서 그 당사자가 사망했어도 대법원에 의해서 판결에 준하는 불법 사실 확인 입장 표명이 되는 것이 정당하다. 이는 5.16 군사 반란이나 10월 유신, 발췌 개헌, 사사오입 개헌 등이 있다.

따라서 내란죄의 그 특수성으로 설사 당사자가 사망으로 인한 법적 처벌이 없어도 그 사건이 실행된 사례가 있고 이후 민주적 헌정 질서로 복귀되면 그 쿠데타의 당사자는 법적 처벌을 받는 것으로 간주하는 것이 상당히 옳다고 본다.

유교와 유학

유교는 일반적으로 종교를 의미하고 유학은 학문으로서의 유교를 의미한다. 이는 일반적을 기독교, 이슬람교, 불교 등과 달리 유교는 사후 세계관이 다소 약한 편이라 종교와 철학의 이중적 지위를 가지고 있기 때문이다.

그러므로 종교로서의 유교를 연구하는 것은 유교학으로 불러야 한다. 이는 마치 기독교학, 불교학과 같은 것이다. 그러나 철학(학문)으로서 유교를 과학적으로 분석하고 연구하는 것은 유학으로 불러야 한다.

둘은 상호 다른 것이므로 전자는 종교 후자는 학문(철학)이기에 이에 대한 접근과 비판 허용도 다르고 연구 방법론이 완전히 다르므로 상호 간에 같아 보이지만 그 본질은 완전히 다르다. 고로 상당히 조심해서 접근해야 한다.

따라서 유교학이 아닌 유학을 연구하는 대학은 유교 미션스쿨로 봐서는 안 되는 것이 상식적인 것임도 알 수 있기에 이러한 부분도 중요하게 덧붙일 수 있다.

아시아지역학으로 보는 가상적 학과의 고찰과 학문적 차이

국내에서 아시아지역학은 학과로 개설하기보다는 경영학부의 실질적 하위 전공으로 개설하는 경우가 대다수로 대부분 경영학부에서 관리하고 가상적 학과의 지위를 갖지만, 경영학부의 연계 전공의 하나로 본다.

이러한 점에서 아시아지역학은 사실상 경영학부의 동문이자 경영학부의 하위 전공으로 보아야 하며 아시아지역학이 경영학(Business Administration)과 동일하게 보는 학문적 관점에서 일반적으로 기인한다.

이와 비슷한 사례로 의과대학의 경우 국내에는 설치되지 않은 대학이 상당한 수준의 의학과 메디컬 연구 능력이 있고 프리메드 교육을 체계적으로 하며 졸업생을 의학전문대학원에 대거 진학시키면 사실상 가상적 의과대학이 있는 것과 동일하게 봐야 한다. 이러한 학과는 대개 생명시스템학부라는 명칭을 주로 사용한다.

한편 이러한 점에서 학문과의 상호 관계성도 살펴보면 식품생명공학과 식품공학은 다른 학문이다. 식품공학은 일반적인 식품에 대해서 다루지만 식품생명공학은 거의 약학에 가까우며 한의학에서 식품이 곧 약이라는 것처럼 식품이 인간에게 의학적으로 미치는 영향을 연구하며 동물이 섭취하는 식품으로도 그 연구 범위가 넓어 수의학과도 접목된다.

학부 산하에 존재하는 한국학전공, 중국학전공, 영미학전공은 단순히 국어국문학과, 중어중문학과, 영어영문학과와 달리 실용적으로 해당 국가를 바라보며 언어학이라기보다는 문화학에 더욱 가까우므로 다른 것으로 보아야 한다.

정부행정학과 행정학은 좀 더 다르며 전자의 행정학은 정치에 대한 분석이 상당히 깊게 이루어지므로 정치적 행정학이며 이와 유사한 경제행정학이나 공공사회학도 경제학, 사회학과 달리 정치적 관점에서 바라본다는 차이점이 있다.

또한 분교에 유사 학과가 설치되어 있어도 그 명칭이 완전히 동일하지 않거나 학부 형태로 다르게 취하는 경우 교육

과정에서 차이가 다르고 학문적으로도 차별화한 것이므로 그것은 다르게 보아야 하며 오히려 본교 차원에서 분교 강화를 위해 적극적인 지원을 해야 한다.

국제적 대학 교육 기준 정립과 고찰

지구상의 거의 모든 국가에서 대학이 설립되면서 이러한 대학 교육의 표준적 기준 정립에 관해서 많은 지식인이 고심하고 있다. 이러한 고찰의 결과물을 본 저서를 통해서 대중에게 공유하고 더 낫고 정의로운 대학 교육의 설계와 세계적 연대도 생각하고자 한다.

기본적으로 대학은 다른 교육기관과 달리 학위를 수여할 수 있는 유일한 기관이다. 이러한 학위의 표기는 매우 중요하다고 할 수 있는 셈이다. 따라서 이에 대해서 국제적인 표준을 탐색해 보면 다양한 표기법이 공존하는 것을 알 수 있다.

예컨대 대학원에서 국제문화연구학을 전공하고 문학 석사 학위를 받는 경우를 가정하면 그 사람의 학위명은 문학석사이지만 국제문화연구학 석사로 표기할 수 있다. 아울러 학부의 경우 지구과학부 환경공학전공이면 이학사라고도 표기하지만, 환경공학 석사로도 표기할 수 있다.

또한 이력서나 공개 석상에서 학위를 표기하는 경우 풀네임(Full Name)으로 표기하면 학부는 한국대학교 사회과학대학 정치외교학과 정치학사로 표기하고 대학원은 한국대학교 문화융합대학원 국어국문학과 문학석사로 표기해야 한다.

그러나 통칭으로 표기하면 학부는 한국대학교 정치학 학사로 표기하고 대학원은 한국대학교 국어국문학과 석사로 표기하는 것이 올바르며 대게는 통칭으로 표기하는 것을 일반적으로 보며 이러한 점에서 보면 풀네임과 통칭은 같은 표기로 본다.

아울러 구체적인 학위 사례를 살펴보면 국내에서는 거의 없지만 미국에서 많이 수여하는 학사 학위인 BAAS(Bachelor of Applied Arts and Sciences)의 경우 일반적으로는 문학사로 여기지만 전공이 자연과학이면 이학사로 본다.

대학원의 사례를 살펴보면 법학 석사 중 LL.M.(Master of Laws)의 경우 대게 석사 논문을 작성하지 않으며 작성한다 하더라도 그것은 논문이라기보다는 연구 보고서의 성격이 강하므로 졸업 논문으로 봐서는 아니 된다. 이것은 해당 학위가 실용적인 측면이 강하기 때문이다. 한편 해당 학위는 국내의 법학전문대학원에서 수여하는 법학 석사(Juris Doctor)[10]와 달리 학술적 측면이 강하므로 전문 학위로는 보지 않으며 좀 더 타 학문과의 학제적 연구를 중시하는 실용적인 학술 학위의 일환으로 보아야 한다.

또한 대학원에서 이수하는 석사 과정과 유사한 과정을 이수했거나 동시에 이수하고 있다면 해당 석사 학위의 졸업 논문은 작성하지 않고 유사한 과정에서 작성한 졸업 논문으로 대체하는 경우가 많으며 이는 주로 석박사 통합 과정에서 많이 나타난다. 그 예시로는 통상적으로 알려진 것처럼 평화학과 국제문화연구학이 관계가 깊으므로 국제문화연구학 석사 졸업 논문을 제출할 때 평화학 석사 졸업 논문은 면제하는 경우가 있다. 다만 이 경우 평화학은 석박사 통합 과정에 재학 중이면 그것을 온전히 인정하여 석사 졸업 논문을 대체하는 것이 일반적인 사례이다.

한편 학문 간의 관계를 고찰해 보면 위에서 언급한 것처럼 국제문화연구학과 평화학이 상당히 깊은 관계를 맺은 것을

10) 약칭으로는 J.D.로 표기한다.

알 수 있다. 이는 법학과 정치학의 관계성과 유사하다. 또한 학부 과정에서 국제문화연구학은 외국어로서의한국어학으로 대체하는 경우도 있다. 이외에 몽골학과 창의학(Creative Studies)이 상당한 관계가 있으며 일각에서는 몽골학은 창의학의 학위 학문으로 볼 정도이다.

이는 몽골이 유목민족 중 대표적이며 그 역사 속에서도 창의성을 보여주었지만, 노마드로 불리는 유목민족의 특성인 유목성이 창의력을 높게 발휘할 수 있도록 사회적 연구를 한 것과 다름이 없기에 창의학에서 몽골의 사례는 표준이라고 해도 무방하므로 상호 간의 깊은 수직적 연관성을 다각도에서 올바르게 볼 수 있다.

근래 학문적 트렌드를 통해서 해당 학문의 겉과 속에 대해 살펴보자면 최근 가장 유행하는 학문인 평화학은 기본적으로 응용적인 인문학이라고 할 수 있으며 사회과학으로는 분류하지 않는 특성이 있다.

또한 위에서 언급한 창의학의 경우 학술적으로 인도에서 상당한 연구를 하고 있어 인도와 관련한 사례가 많이 나오며 학문적으로는 몽골과 밀접한 관계성을 가지고 있으며 학술적으로는 에디톨로지(editology)라고 불리는 편집학과도 학문적으로 융합되고 있다.

학문적 오해에 기인한 면으로 하여 그 예시를 통해 사례를 좀 더 살펴보자면 몽골학의 경우 일반적으로 몽골어를 배우고 몽골어를 유창하게 하는 기술을 배우는 것으로 착각하는 경우가 많다. 물론 몽골인과 대화를 하고 해당 사회에서 생성된 것을 살펴보자면 몽골어를 능숙히 하면 상당히 편리한 면도 있는 것은 사실이다.

하지만 본질적으로는 몽골이라는 개념의 이해와 그 개념이 생성된 세계관을 탐구하고 이를 바탕으로 인지하는 것이므로 몽골어만 한다고 협소하게 봐서는 안 되며 그것은 몽골어학이지 몽골학 그 자체가 아니다. 그러므로 몽골어를 전혀 못 하지만 몽골학에 대한 전문가도 분야에 따라서는 존재할 수 있다. 이는 법학 전문가라고 해서 모든 재판에서 승소하는 것과는 다른 것에서 알 수 있듯이 모든 몽골학 전문가는 몽골어를 능숙히 해야 한다는 것은 상당히 유치한 개념이다.

개별 대학 교육에서 과목을 살펴보면 학부 과목을 대학원 과목으로 혼용해서 사용할 수 있음을 알 수 있다. 이는 기본적으로 대학 교육에서는 수준에 따라 학부 과목과 대학원 과목을 구분하지 않을 수 있기 때문이다. 또한 중국학을 비롯한 인문학의 영문 과목명에서 'understanding'을 사용하는 것과 'comprehension'을 사용하는 것은 그 의미상 해석에서 상당한 차이가 있다. 전자는 일반적으로 주입식에 가까운 이해라면 후자는 개인이 스스로 깨치고 연구하는 이해의 의미이므로 사용 시 세심한 구분이 필요하다.

마지막으로 개별 학위와 그 위상에 대해서 살펴보자면 영국 학부에서의 경영학 교육과 그 학위의 경우 학사 학위지만 MBA(Master of Business Administration)와 유사한 학문적 위상으로 인정하는 경우가 많다. 또한 평화학 석사 학위 중 M.Res.(Master of Research)로 수여하는 학위는 프랑스 그랑제콜에서 수여하는 학위와 동등한 위상으로 취급하며 일반적으로는 국립행정학교(École nationale d'administration) 졸업자와 동등하게 대우한다.

아울러 펜실베이니아대학교 산하 단과대학인 College of Lib eral and Professional Studies(LPS)의 경우 다른 단과대학과 동등하게 취급하며 온라인 과정과 오프라인 과정도 동등하게 취급한다. 또한 동문으로 판별할 때도 펜실베이니아대학교 출신으로 보며 학사 학위의 무게도 다른 단과대학의 학사 학위와 같다. 이는 국내에서 분교 혹은 평생교육원(전산원) 졸업자는 해당 사실을 모두 명기해서 학위를 표기하는 것이 합법이지만 펜실베이니아 LPS의 경우 동등한 단과대학이므로 이를 생략하고 펜실베이니아대학교 철학 학사로 표기해도 되며 대개 이렇게 표기하는 것이 상식적이다. 그리고 이에 대해서 분교나 평생교육원으로 악의적인 것으로 호도하는 경우 법적 조치가 가능하다는 선례도 있다. 이는 다른 아이비리그에서 제공하는 익스텐션 스쿨(Extension School)과 달리 정식 단과대학이며 정부에서도 동등하게 인정하고 공인하기 때문이다.

결론적으로 이러한 국제적 대학 교육 전반을 살펴보고 대학 교육과 관련한 표준적 기준을 정립하는 것과 관련한 사안을 소개하고 오도된 시선을 가지지 않고 올바르게 파악할 수 있는 것에 기여를 해서 국내 학위의 건강한 성장과 해외 학위에 대한 허구적 사실의 유포를 방지하여 학술 문화의 창조적 발전에 이바지하는 의의를 알 수 있다.

대한민국 올림픽 진출의 이모저모

1952년 오슬로 올림픽은 남한과 북한 모두 전쟁으로 인해 선수를 직접 출전시키지는 못했다. 그러나 당시 일본 선수단으로 출전한 선수 중 홋카이도 출신의 선수들은 간접적으로 조선(한국) 혈통을 일부 계승하고 있는 선수들이라고 다양성 관점에서 혁신적으로 살펴보면 그리 볼 수 있다.

이는 홋카이도의 경우 외지로써 한반도에서 이주를 많이 했고 또한 설상 종목 선수들은 전통적인 아이누 문화를 계승하고 있는 경향이 있고 그러한 아이누 문화의 원류는 한반도 문화이므로 이들은 올림픽 무대에서 간접적으로 한반도의 문화적 모습을 선보인 것이므로 한국이 간접적으로 올림픽에 출전한 것과 다름이 없다.

이와 유사한 사례로 1936년 베를린 올림픽 마라톤 경기에서 손기정 선수가 금메달을 받고 남승룡 선수가 동메달을 받았다. 은메달은 영국의 어니 하퍼(Ernie Harper) 선수가 받았는데 본래 이 경기에 유력한 우승 후보는 아르헨티나의 후안 카를로스 사발라(Juan Carlos Zabala)였는데 마라톤 경기 도중 선두를 달리고 있는 사발라를 보고 다급해진 손기정이 무리하게 달려 나가려고 했다. 그때 뒤에서 같이 달리던 하퍼가 손기정에게 그 선수는 금방 지치니 무리해서 달리지 말고 스퍼트를 유지하라고 했다. 이는 인종과 국경을 넘은 아름다운 스포츠맨십이다.

그러나 하퍼 선수 집안의 조상 내력과 역사를 조사해 보니 조선과 연관성이 있음이 알려지고 그러한 조언을 한 것도 무의식적으로 같은 조선인에게 동질감을 느낀 것으로 보이므로 문화적으로 그도 같은 조선인(한국인)이라고 할 수 있으므로 사실상 명예 조선인이다. 따라서 그 경기는 문화적 측면에서는 금, 은, 동메달을 모두 조선인이 딴 것과 진배없는 것으로 해석할 수도 있는 셈이다.

한편, 태권도는 1988년 서울 올림픽 이후 계속 올림픽 종목에 포함되었으나 1996년 애틀랜타 올림픽에서 한 번 제외된 적이 있었다. 이 당시 국제 여론은 제3세계 국가도 올림픽 메달을 딸 수 있다는 희망을 주는 종목인 태권도를 올림픽에서 제외한 것에 상당한 분노를 표했으며 선진국의 갑질이 라고 표하기도 했다.

이에 애틀랜타 현지에서 올림픽 동안 태권도가 올림픽 종목이 아님에도 태권도가 대중에게 알려졌으며 일부 유도 선수가 올림픽 대회에서 태권도 기술을 응용하여 선보이고 당시 남한과 북한의 유도 선수가 태권도의 정신을 이용하여 선전하는 등 사실상 유도라는 형식을 통해 태권도를 올림픽에 간접적으로 선보일 정도였다.

또한 이후 올림픽에서 태권도가 빠진 스포츠계의 아쉬움으로 이듬해 치러진 1997년 세계 태권도 선수권 대회는 올림픽에 버금가는 주목을 받았으며 이후 올림픽부터 태권도는 다시 종목에 포함되어 현재까지 굳건히 그 위상을 세웠다.

태권도의 가라테 기원설과 파시즘적 사고

일각에서 태권도가 가라테에서 기원하였다는 황당한 주장을 하는 경우가 있다. 아마 일본의 식민사관에 기인한 것이 스포츠에도 영향을 준 것으로 안타까운 점이다. 상식적으로 태권도가 가라테 짝퉁이라면 올림픽 종목에 가라테가 되지 태권도가 될 이유가 없으며 일본 선수가 태권도에서 거의 보이지 않는 이유도 설명이 되지 않는다.

태권도는 한국의 전통 무술을 집약하는 과정에서 탄생한 것으로 가라테와는 별로 상관이 없다. 원래 가라테가 한국 무술에 영향을 많이 받았으므로 그것을 가지고 태권도는 가라테에서 기원하였다는 논리를 피지만 이것도 어불성설이며 가라테 짝퉁이라고 주장하는 근거는 없이 주장만 앵무새처럼 반복한다. 이들은 논리가 없으며 거의 광인에 가까울 정도로 주장하여 일부 무식한 사람들은 이걸 정설로 받아드리지만 위에서 언급한 것처럼 아무 근거가 없다.

세계인이 사랑하는 태권도는 한국의 오랜 전통에서 기인한 역사적 전통 무술의 현대적 재구성이며 실전성이 있는 무술이다. 고로 태권도가 가라테에서 기인했다는 것은 세계 모든 태권도 선수에 대한 모욕이자 제3세계 국가에서 희망의 등불이 되는 태권도를 깎아내리려는 음흉한 공작이자 신제국주의적 파시즘의 발흥이므로 이들에게는 무시를 넘어 강경한 대응을 해야 한다.

몽골과 유목민족의 관계

몽골은 아시아 대표 유목민족으로 카자흐스탄을 비롯한 중앙아시아 국가의 문화적 기원을 주었을 정도로 역사가 유구한 국가이며 문화적으로 널리 퍼져있는 국가이다.

몽골과 사실상 한 몸에 가까운 친척 관계의 소수민족은 몹시 많은 편이다. 예를 들면 축치인, 만주족, 사하인, 흉노족, 선비족, 저족, 갈족, 강족, 말갈족, 탁발선비족, 알타이인, 위구르족, 카자흐족, 후이족, 장족, 회족, 묘족, 이족, 토가족, 티베트족, 동족, 포의족, 요족, 백족, 합니족, 여족, 하싸커족, 태족, 사족, 율속족, 동향족, 흘로족, 사족, 율속족, 동향족, 흘로족, 납호족, 와족, 수족, 납서족, 강족, 토족, 무로족, 시버족, 키르기스족, 경파족, 다우르족, 살라르족, 포랑족, 모남족, 타지크족, 보미족, 아창족, 노족, 어웡키족, 경족이 있다.

이외에 좀 더 거리가 있지만 문화적으로 몽골과 유대관계가 깊은 소수민족의 예시를 들면 기낙족, 덕앙족, 보안족, 어뤄쓰족, 유고족, 우쯔베커족, 문파족, 오르촌족, 독룡족, 나나이족, 납파족, 타타르족, 고산족, 카친족, 투바인, 하카스인, 네네츠인, 한티인, 만시인, 바시키르인, 징포족, 카친족, 카렌족이 있으며 이러한 사실은 이미 세계적으로 너무 유명하다.

이 중에서 미얀마 카친족과 카렌족은 몽골 제국 시기에 내려온 이들과 통혼하면서 언어와 문화에서 몽골의 습성이 상당히 많이 배어 있다. 심지어 근대 이후 이들이 성공회를 많이 믿는데 몽골의 성공회와 상당히 유사한 점은 이들을 몽골학으로도 연구할 정도로 몽골의 흔적이 많은 편이다.

이처럼 몽골은 아시아와 유럽의 많은 유목민족의 대선배이자 심지어 일각에서는 고대 그리스 바다 민족에도 영향을 주었다는 주장이 있을 정도로 다수 유목민족의 표준적 모델이자 일종의 모범생으로 모든 유목민족은 몽골 방식으로 연구하는 것이 가장 쉽고 합리적이며 이들의 영향력도 다시 되돌아볼 필요도 있는 셈이다. 또한 심지어 몽골학과 유목민족학은 같은 학문이라고 말하는 예도 있으나 더 이상 논의하는 것이 의미 없을 정도이다.

한반도와 몽골 그리고 호서 지방

찬란한 한반도의 유구한 역사에서 깊은 교류를 한 국가 중 주요한 국가를 하나 꼽으라면 몽골을 고를 수 있다. 이는 유목민족 국가 중에서 유일하게 한국과 깊은 역사적 교류를 한 사례이고 현재도 상호 간의 교류가 상당하므로 이에 대해서 깊게 고찰할 필요가 있다.

특히 한국에서도 호서 지방(충청도)이 몽골과 가장 깊은 교류를 했으며 이는 충청도가 경기도와 전라도, 경상도를 연결하는 길목에 위치하기 때문이다. 그중에서도 천안의 경우 충청도와 경기도를 이어주는 징검다리 역할을 하는 도시이므로 몽골과의 상호 역사성은 상당하다.

또한 이는 현재에도 국내 몽골인이 가장 많이 거주하는 지역이 충청도이며 몽골의 제2도시인 에르데네트에 충청도 사람 비율이 상당히 높은 것을 알 수 있다. 이외에 충청도 사람 비율이 상당히 높은 용인도 몽골과의 관계가 간접적으로 많은 것도 그러하다.

또한 몽골은 과거 인도와의 관계와 상호 교류가 상당했고 힌두교 형상 과정에서 몽골 유목민의 종교관이 상당한 영향을 미쳤는데 이러한 점에서 힌두교가 국내에서 충청도에 많은 것도 몽골과 충청도의 관계가 깊은 면과 상당히 연결된다는 주장이 있다.

아울러 천안의 경우 몽골과 과거로부터 교류하고 있으며 몽골의 한 공주가 천안에 와서 정착하였다는 설화가 있을 정도로 천안을 중심으로 충청도 전역의 민간 설화에서 몽골의 영향을 살펴볼 수 있는 셈이다.

또한 두정동 유적이나 불교 관련 유적에서도 몽골의 흔적을 살펴볼 수 있고 인근 청주, 대전, 세종, 공주에서도 관련 흔적이 있는 것을 보면 국내에서 호서 지방과 몽골의 관계가 깊으며 앞으로 몽골과의 외교에서 호서 지방과 적극적으로 동행하면서 새로운 동아시아를 바르게 주도해야 한다.

대한민국과 대한제국

위대한 한반도의 역사에 대한 논의 중에서 대한제국의 멸망일에 대해서 일반적으로는 1910년 8월 29일로 여겨지고 있다. 이는 한일병합조약에 따라 대한제국이 일본제국에 흡수되었던 날이다. 그러나 이러한 견해는 몇 가지 문제가 있다.

먼저, 한일병합조약은 대한제국 국새가 날인되지 않았으며 황제의 서명도 없는 조약이다. 이는 국제법적으로도 무효이다. 따라서 이 조약이 무효라면 대한제국의 멸망일은 대한민국 임시정부 수립일인 1919년 4월 11일이다. 비록 일제의 강제력으로 인해 행정권을 잃게 되었지만, 앞서 언급한 조약의 무효성을 고려하면 1910년 8월 29일 이후에도 대한제국과 황실은 여전히 존재한 셈이다.

한편 대한제국에서 대한민국으로 변화하는 과정은 1917년 대동단결선언에 따라 공화국 건설 제안이 공식적으로 제기되었다. 이러한 제안이 3.1 운동을 통해 전국적으로 모든 백성이 암묵적으로 수용하며 주권이 황제에서 백성으로 이양되고 대한민국 건국으로 나아간 것이다.

대한민국 임시정부가 수립되면서 대한민국이 건국되어 대한제국의 주권이 이양되었고 1948년 8월 15일에는 완전한 자주독립국으로서의 정식 정부가 수립된 것이다. 따라서 대한제국은 1919년 4월 11일까지 존속하였으며, 그 당시까지 순종 황제가 재위하고 있다고 보아야 하며 대한민국 임시정부의 수립과 함께 대한제국은 해산되고 주권을 이양한 것으로 여겨져야 한다.

또한 이 당시 정치 체제를 보면 1910년 8월 29일부터 1919년 4월 11일까지는 형식적으로는 순종 황제가 주권을 지니지만 그 내부에 실질적인 행정은 각 지역의 유지들에 의해서 독립적으로 행했으므로 유사 임시정부 형태를 띠었다고 보아야 하며 이러한 점에서 독립 세력이 제1차 세계대전에서 동맹국을 상대로 선전포고를 한 것은 결론적으로 대한제국이 선전포고한 것과 같은 행위로 보아야 하며 대한제국도 제1차 세계대전 참전국으로 보는 것이 바른 해석이다.

최근 대만의 정의로운 독립적 경향

대만은 중화권에서 탈피하고 중국의 제국주의적 예속에서 벗어나기 위해서 대만 내셔널리즘을 내세우고 있다. 이를 위해서 신주민(외성인), 본성인, 원주민을 하나로 엮어서 대만족이라는 개념을 만들고 있으며 대만은 중국과 문화적으로 완전히 다른 국가로 본다.

또한 이를 위해서 역사에서도 중국의 일부가 아니며 중국의 영향을 받은 만큼 일본과 한국의 영향도 같이 받았다고 보며 근래에 일본과 한국 문화를 대거 수용하고 있다. 그리고 대만 내에서 가장 친한 성향이 강한 집단은 원주민, 대만민주당, 롄장현, 진먼현이 있다.

이외에 시국적인 면에서 중국의 폭력을 직접 느낀 롄장현과 진먼현에서는 타이완 문화를 받아들여서 스스로 대만인이자 대만족으로 여긴다. 또한 친중을 하는 것에 대해서 몹시 불쾌하게 여기는 등 빠른 속도로 변화하고 있다.

아울러 여러 문제에 대한 재해석도 이루어지고 있다. 국민당에 대해서도 대륙 시절과 대만 시절을 분리해서 당의 역사를 본다. 현실적으로 중국의 국제적 압력이 있지만 중국이라는 단어보다 대만을 사실상 의미로 속에 내포한 중화라는 단어를 사용하는 모습을 보이며 영어로는 분리해 표기한다.

중화민국 상징에 대해서 국가 혹은 국기가에서 삼민주의는 민주주의로 해석하고 오당소종은 '국민당이 따를 길'이 아니라 '우리들이 따를 길'로 해석하며 '우리 민족'은 대만족으로 하고 '염제와 황제'는 각자 믿는 신앙의 숭배 존재(하나님이나 부처님 등)로 해석한다.

이어 대륙의 중화민국과 대만의 중화민국을 분리해서 바라보고 청천백일만지홍도 '하늘은 푸르고 태양은 밝으며 모든 대지는 잘 익었다(풍요롭다)'로 해석한다. 또한 모든 대만의 기반적 사상이나 이념도 일본과 한국의 영향을 받은 점을 찾고 해석을 바꾸고 있다는 점에서 대만은 싱가포르보다 중화권인 경향이 낮아졌다.

과거 베트남공화국(남베트남)의 보트피플과 문화유산을 흡수하여 동남아적 정체성을 높이면서도 공용어에 영어를 추가하고 사실상 한국어와 일본어를 공용어 수준으로 격상하면서 영국과의 관계를 역대 최고로 격상하는 것은 심지어 영국과의 외교적 부분은 한국에서 대만의 모습을 보고 영국과의 관계를 최고로 격상하고 한국과 영국이 상호방위조약을 체결하며 통화 스와프를 맺어야 한다는 주장이 나올 정도이니 대만은 탈아입구, 탈중입대, 탈중입미를 동시에 진행하면서 중국이 아닌 대만의 모습으로 올바르게 우뚝 서고 있다.

국내 대학의 외국어 학과 운용에 대해

국내 대학은 외국어 학과를 운용하는 경우 많으나 이에 대해서 일반적인 가이드라인이 부족하여 사안에 대해 오해하거나 운용 과정에서 오인하는 경우가 많아 이에 대해서 일반적인 관점에서 합리적으로 정리된 사안에 대해서 심도 있게 다방면으로 논하고자 한다.

대게 국내 대학에서 협소한 교지를 극복하고 관련 확보율을 높이기 위해 캠퍼스를 다원화하는 경우가 많다. 이를 일각에서는 이원화 캠퍼스라고 부르며 당연히 분교와는 다른 본교이고 서울대 역시 시흥캠퍼스 조성을 통해 이러한 캠퍼스 다원화 경향에 합류하고 있다. 또한 외국인 유학생이 늘어나고 개별 대학이 국제화를 추구하는 상황에서 외국어 학과의 운영은 학교에 필수적이며 그 규정은 정밀하게 해야 한다.

일반적으로 복수 캠퍼스를 가진 대학의 경우 특정 캠퍼스에 외국어 학과 주 사무실을 구축하고 타 캠퍼스에는 대학원이나 보조 사무실을 설치하며 양 캠퍼스의 해당 학과의 언어를 사용하는 외국인 유학생을 전담하여 관리한다.

예를 들어 국제자유전공학부, 글로벌교육센터, 국제경영학실, 국제교육실, 글로벌라운지, 글로벌전략팀, 특별과정교육실, 글로벌서포트허브와 같은 명칭은 실질적으로 타 캠퍼스의 외국어 학과의 보조 사무실의 연합체나 다름이 없다. 이외 관련하여 예시를 들자면 몽골학의 경우 넬슨 만델라와 그 평화적 정신이 몽골과 관계가 깊기에 관련 사상 연구소는 사실상 몽골학의 보조 사무실이다. 이외에 이러한 포괄적 명칭을 달고 있는 예도 있기에 잘 구분해야 한다.

또한 외국어 학과는 그 특수성으로 인해 다원 캠퍼스를 운영하는 대학의 경우 특정 캠퍼스 소속이 아니라 모든 캠퍼스에 속한 것으로 보아야 한다. 이는 외국어 특성상 외국인 유학생과 소통하는 것도 상당히 중요하나 외국인 유학생은 모든 캠퍼스에 있으므로 그들을 관리하고 또 그들과 인간적 유대 관계를 형성하는 것도 교육에서 중요하므로 결국 외국어 학과는 모든 캠퍼스 소속이므로 특정 캠퍼스 출신이라고 주장하는 것은 이치에 맞지 않게 된다.

예컨대 서울캠퍼스와 아산캠퍼스를 운영하는 대학이 있다고 가정하면 그 대학의 인도학과는 서울캠퍼스 소속이며 아산캠퍼스 소속인 것이고 그 학과의 출신 졸업생은 서울캠퍼스와 아산캠퍼스를 모두 나온 것이 된다.

이외에 지역적으로 용인시의 경우 독일어문학, 러시아어문학, 프랑스어문학, 스페인어문학, 포르투갈어문학, 인도어문학, 몽골어문학에 관심이 깊고 글로벌 K컬처 인재 양성에도 노력하고 있으므로 이러한 것도 종합하여 판단할 필요가 있다.

따라서 이러한 외국어 학과의 다원적 운영에 대해서 이해하고 이를 바탕으로 창조적 사고와 국내 고등 교육 발전도 혁신적으로 기획할 수 있는 셈이다.

친디아와 아시아지역학

발행 2024년 06월 17일

지은이 대한아시아지역학연구회
발행처 주식회사 부크크
출판등록 2014.07.15. (제2014-16호)
발행인 한건희
주소 서울특별시 금천구 가산디지털1로 119 SK트윈타워 A동 305호
이메일 info@bookk.co.kr
전화번호 1670-8316
ISBN 979-11-410-9008-1

값 20,000원